CB027660

PRESENTE PARA:

____

De:

____

Data:

____

O chamado de Jesus

Sarah Young

Thomas Nelson
Since 1798

Título original: *Calling: Enjoying Peace in His Presence*

As citações bíblicas são da *Nova Versão Internacional* (NVI), da Biblica, Inc., a menos que seja especificada outra versão da Bíblia Sagrada.

Gerente editorial *Samuel Coto*
Editores *André Lodos e Bruna*
Revisão *Gomes*
Adaptação de miolo *Eliana Moura*
Adaptação de capa *Filigrana*
Filigrana

CIP-BRASIL. CATALOGAÇÃO-NA-FONTE SINDICATO
NACIONAL DOS EDITORES DE LIVROS, RJ

Y71c
Young, Sarah, 1946-
O chamado de Jesus / Sarah Young [tradução de
Paulo Polzonoff Jr]; Rio de Janeiro: Th omas Nelson Brasil, 2019.
400p.; 10,16x15,24 cm
Tradução de: Jesus calling
ISBN 978.85.6699.789-7
1. Devoções diárias. 2. Literatura devocional. I. Título.

CDD: 242.2 CDU: 242
12-0169

Thomas Nelson Brasil é uma marca licenciada à Vida Melhor Editora LTDA.

Rua da Quitanda, 86, sala 601A – Centro
Rio de Janeiro – RJ – CEP 20091-005
Tel.: (21) 3175-1030
www.thomasnelson.com.br

Printed in China

Introdução

Senti a presença de Deus pela primeira vez num cenário de incrível beleza. Eu vivia e estudava numa comunidade cristã num vilarejo nos Alpes franceses. Era uma filial da L'Abri, uma instituição missionária internacional que começou na Suíça graças à obra de Francis e Edith Schaeffer. Durante minha estadia em L'Abri, pude explorar a paisagem de conto de fadas que me cercava. Estávamos no fim do inverno e o sol do meio-dia era quente o bastante para bronzear, mas não o suficiente para derreter a grossa camada de neve. A luz brilhante refletida na neve branquíssima limpava minha mente das trevas que haviam me possuído durante anos.

Todos os dias eu subia uma colina para apreciar uma vista que encantava minha alma. Quando chegava ao topo, eu me perdia na paisagem deslumbrante. Lá embaixo estava o vilarejo que havia se tornado meu lar. Ali de cima, o lugar parecia dominado pela torre alta da igreja. Virando-me 180 graus, eu podia ver ao longe o lago Geneva saudando-me com raios de sol refletidos em suas águas. Quando olhava para cima, via os cumes congelados dos Alpes ao meu redor. Eu dava voltas e mais voltas, absorvendo o máximo que podia com meus olhos famintos e minha mente limitada.

Como sou filha de um professor universitário, fui muito estimulada a ler e a pensar por mim mesma. Eu havia me formado em Filosofia pela Faculdade Wellesley e ainda não tinha concluído o mestrado na Universidade Tufts. Alguns meses antes, meu irmão sugerira que eu lesse *A morte da razão*, de Francis Schaeffer. Para minha surpresa e grande alegria, aquele livrinho respondia a perguntas que, havia muito, eu considerava impossíveis de serem respondidas.

Foi a integridade intelectual dos ensinamentos de Schaeffer que me atraiu até aquele lugar. O que me levou até lá foi a busca pela verdade, mas foi a criação gloriosa de Deus que me ajudou a abrir meu coração para ele.

Certa noite, me vi deixando o calor do nosso confortável chalé para caminhar sozinha nas montanhas nevadas. Entrei numa região de mata fechada, sentindo-me vulnerável e admirada pela beleza da paisagem fria banhada pelo luar. O ar era pesado e seco, difícil de respirar. De repente, tive a sensação de que uma névoa quente me envolvia. Percebi uma adorável presença e sussurrei: "Querido Jesus". Essa expressão era totalmente incomum para mim, por isso me surpreendi ao falar de Jesus com tamanha ternura. Enquanto refletia sobre a mudança que acontecera, percebi que aquela era a reação de um coração convertido, e naquele momento eu soube que pertencia a ele. Era algo que ia muito além das respostas intelectuais pelas quais estivera procurando. Era o início de uma relação de amizade com o Criador do Universo.

No ano seguinte, de volta aos Estados Unidos, tive outro encontro com Jesus. Eu estava sofrendo com o fim de um relacionamento amoroso e me perguntava se o fato de ser cristã fazia alguma diferença na minha qualidade de vida.

Naquela época, eu trabalhava como redatora de textos técnicos na Virgínia. Meu chefe me enviou a Atlanta para uma conferência. Aceitei a tarefa obedientemente e me registrei no hotel sem o menor entusiasmo. Sozinha no quarto, senti o vazio tomando conta de mim. Então saí e comecei a andar sem rumo pelas ruas da cidade, tentando escapar da solidão. Olhei alguns livros numa barraquinha na calçada e fui atraída por *Beyond Ourselves* [Além de nós mesmos], de Catherine Marshall. Naquela noite, enquanto lia o livro, já não me sentia mais tão sozinha. Ajoelhei-me ao lado da cama naquele estéril quarto de hotel e senti a avassaladora presença da paz e do amor preenchendo meu coração. Eu sabia que Jesus estava ao meu lado e que ele se solidarizava com meu sofrimento. Era, sem dúvida alguma, o mesmo "Querido Jesus" que eu havia encontrado nos Alpes.

Durante os dezesseis anos seguintes, levei uma vida cristã exemplar. Entrei para o Seminário Teológico da Promessa Divina, em St. Louis, onde concluí o mestrado em Psicologia e Estudos Bíblicos. Lá conheci meu marido, Steve. Depois da formatura, passamos dois períodos de quatro anos no Japão realizando trabalhos missionários. Tivemos uma filhinha durante a primeira viagem e um filhinho quando voltamos aos Estados Unidos. Depois da segunda jornada, permanecemos no nosso país por mais três anos, em Atlanta. Steve arranjou um trabalho na igreja da comunidade nipônica local e eu consegui outro diploma em Psicologia pela Universidade Estadual da Geórgia.

Como parte da minha formação, trabalhei num centro psicológico cristão nos arredores de Atlanta. Gostei muito da experiência de ajudar mulheres profundamente magoadas a encontrarem a cura em Cristo. Eu era grata ao meu marido e aos meus dois filhos, que eram as principais alegrias da minha vida, mas em nenhum momento durante esses dezesseis anos eu senti vivamente a presença de Jesus.

Assim, no verão de 1990 comecei uma nova busca, que teve início com a leitura de um livro chamado *The Secret of Abiding Presence* [O segredo da presença contínua], de Andrew Murray. Segundo o autor, a presença de Deus deveria ser uma experiência contínua na vida de um cristão. Ele enfatiza a importância de passarmos algum tempo sozinhos com Deus, numa comunhão ininterrupta e silenciosa.

Comecei a ler a obra numa época muito conturbada da minha vida. Estávamos esperando nossos vistos de entrada na Austrália serem aprovados para que pudéssemos fundar a primeira igreja na comunidade nipônica de Melbourne. Eu havia pedido demissão do emprego para cuidar dos preparativos da viagem, então ainda estava me adaptando à perda do meu trabalho como psicóloga. Em meio a essas mudanças, comecei a buscar a presença de Deus de forma mais consistente. Meus dias começavam da seguinte forma: sozinha com ele e com uma Bíblia, um diário de orações, caneta e café. Enquanto eu aguardava sua presença, Deus começou a se revelar para mim. Uma ou duas horas sozinha com ele, no entanto, me pareciam muito pouco.

As incertezas que eu enfrentava naquela época me aproximaram de Deus. Não tinha a menor ideia de quanto tempo levaria para recebermos vistos de residência permanente, por isso o período de espera parecia se estender de forma indefinida. Durante esse tempo, passei por quatro cirurgias, duas delas para a retirada de melanomas. Um versículo bíblico que me consolou durante esse período e me fez companhia no interminável voo até a Austrália foi: "Vocês sairão em júbilo e serão conduzidos em paz" (Isaías 55:12).

Finalmente nos estabelecemos na Austrália e começamos nossa missão dupla. Eu ajudava Steve a implantar a igreja em Melbourne, mas minha tarefa principal era atender às mulheres australianas, que sofriam abusos de todos os tipos.

Nossas ações conjuntas submetiam nossa família a um esforço espiritual intenso e eu orava pedindo proteção todas as manhãs. Certo dia, enquanto orava, visualizei Deus cuidando de cada um de nós. Imaginei primeiro minha filha, depois meu filho e em seguida Steve cercados pela presença protetora de Deus. Quando orei por mim mesma, me vi envolvida por uma luz brilhante e tomada por uma paz profunda. Perdi totalmente a noção do tempo. Eu não havia buscado aquela experiência, mas a aceitei com gratidão e fui fortalecida por ela.

Dois ou três dias mais tarde, uma paciente que sofrera incesto começou a se lembrar do abuso, ocorrido durante um ritual satânico. Essa forma de adoração a Satanás envolve a sujeição das vítimas (em geral crianças) a um mal incrível e a torturas degradantes. Minha corajosa paciente e eu caminhamos juntas pelas trevas de suas lembranças. Mas Deus havia me preparado para entrar nas profundezas do mal quando me batizou com sua gloriosa luz. Percebi que vivenciar a presença dele não era benéfico apenas para mim; era também uma preparação para ajudar as pessoas.

Naquele mesmo ano, 1992, comecei a ler *God Calling* [O chamado de Deus], um livro escrito por duas mulheres que praticavam a espera silenciosa na presença de Deus com lápis e papel à mão, registrando as mensagens que recebiam dele. As mensagens eram escritas na primeira pessoa, sendo que "eu" designava Deus. Eu o havia ganhado quando morava no Japão, mas não o lera na época. Seis ou sete anos mais tarde, esse pequeno livro acabou se transformando num tesouro para mim. Ele se encaixava perfeitamente em meu anseio de viver ao lado de Jesus.

Comecei a me perguntar se eu também poderia receber mensagens divinas. Escrevia diários de orações havia anos, mas era uma comunicação solitária: só eu falava. Sabia que Jesus se comunicava comigo por meio da Bíblia, mas eu queria mais. Desejava ouvir o que ele tinha a me dizer em determinado dia. Decidi ouvi-lo com uma caneta em punho, escrevendo qualquer coisa que acreditasse que ele estivesse sussurrando. Senti-me estranha na primeira vez em que tentei fazer isso, mas de fato recebi uma mensagem. Era curta, bíblica e apropriada. Tratava de temas que eram comuns em minha vida: confiança, medo e proximidade com Deus. Respondi redigindo-a em meu diário de orações.

Assim, minha escrita em forma de monólogo se transformou em diálogo. Em pouco tempo, as mensagens começaram a fluir com mais liberdade, e comprei um caderno especial para registrar cada palavra. Esses momentos se tornaram o ponto alto do meu dia. Meus textos não eram inspirados como as Escrituras, eu sabia, mas estavam me ajudando a estreitar minha relação com Deus.

Eu continuava recebendo as mensagens enquanto meditava. Quanto mais difíceis eram as circunstâncias da minha vida, mais eu precisava dessas instruções encorajadoras do Criador. Sentar-me em silêncio na presença de Deus era tão importante quanto os textos que eu produzia nessas horas de meditação. Na verdade, às vezes apenas me sentava com ele durante algum tempo, sem escrever nada. Nesses momentos, eu podia experimentar a "alegria plena" de sua presença (Salmos 16:11) ou simplesmente aproveitar sua gentil companhia e receber sua paz. Durante os anos que registrei as mensagens de Deus, descobri que o tema da paz havia ganhado importância nos meus textos. Acredito que, em parte, isso tenha sido reflexo de uma necessidade pessoal minha. No entanto, quando conheço pessoas novas, percebo que muitas delas também desejam os bálsamos da paz de Jesus.

Um versículo que tem mudado muitas vidas é "Parem de lutar! Saibam que eu sou Deus!" (Salmos 46:10). Este é um convite para que você deixe de lado as preocupações e busque a presença dele. Creio que ele anseie por esses momentos tranquilos conosco até mais do que nós mesmos. Também acredito que ele fale para aqueles que o ouvem (João 10:27). Como J. I. Packer escreveu em seu livro *Your Father Loves You* [Seu pai ama você], "Deus [...] guia nossa mente enquanto refletimos na sua presença".

Essa prática aumentou minha intimidade com Jesus mais do que qualquer outro exercício espiritual, por isso gostaria de compartilhar algumas das mensagens que recebi. Ao redor do mundo, os cristãos parecem buscar uma experiência mais profunda da presença e da paz de

Jesus. Os textos a seguir chamam a atenção para essa necessidade. A Bíblia, claro, é a singular Palavra perfeita de Deus; meus escritos não têm a pretensão de contestar isso. Escrevo do ponto de vista de Jesus, assim, a primeira pessoa do singular (eu, meu) se refere a ele. "Você" se refere ao leitor, de modo que a perspectiva seja a de Jesus falando com você.

Incluí referências bíblicas depois de cada texto, pois, enquanto ouvia as palavras de Deus, versículos ou trechos de versículos frequentemente me vinham à mente. Eu os entrelacei às mensagens. Trechos das Escrituras (alguns parafraseados, outros citados literalmente) estão destacados em itálico. Algumas referências mencionam os versículos usados. Outras são menos óbvias, e eu as incluí para sugerir uma leitura mais aprofundada sobre o tema em questão. Certos versículos bíblicos se repetem bastante, mas isso acontece porque Deus utiliza tais passagens com frequência para me fortalecer ou encorajar, afastando minha visão dos "sofrimentos leves e momentâneos" (2Coríntios 4:17) e aproximando-a da sua perspectiva eterna.

Gratidão e fé foram dois assuntos recorrentes nos meus momentos como ouvinte. Esses temas são muito importantes na Bíblia e são essenciais se pretendemos desfrutar da paz e da presença de Jesus.

Essas mensagens foram escritas para serem lidas lentamente, de preferência num lugar tranquilo. Eu o convido a manter um diário para registrar quaisquer pensamentos ou impressões que tenha enquanto estiver na presença de Jesus.

Lembre-se de que Jesus é Emanuel, *Deus entre nós*. Que ele o abençoe cada vez mais com sua presença e sua paz.

Sarah Young

SARAH YOUNG

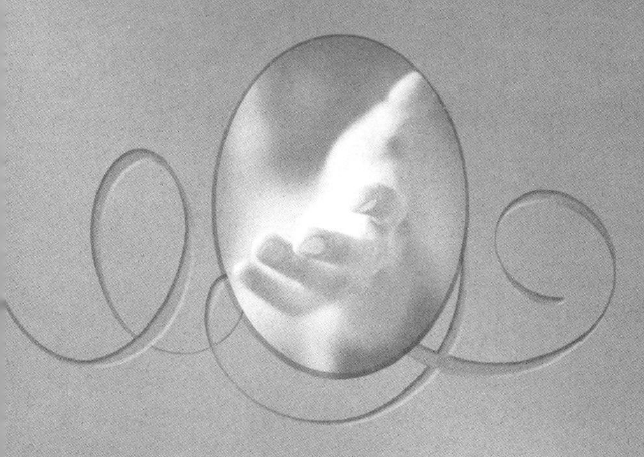

Janeiro

"Porque sou eu que conheço os planos que tenho para vocês, diz o Senhor, *'planos de fazê-los prosperar e não de causar dano, planos de dar a vocês esperança e um futuro'."*

Jeremias 29:11

1º de janeiro

VENHA A MIM COM UM ESPÍRITO de aprendiz, ansioso por mudar. Uma caminhada ao meu lado é uma vida de renovação contínua. Não se apegue aos velhos hábitos ao entrar num novo ano. Ao contrário, busque meu rosto com a mente aberta, sabendo que sua jornada comigo envolve uma *transformação pela renovação da sua mente*. Ao direcionar seus pensamentos a mim, saiba que estou prestando atenção em você. Eu o encaro com olhos fixos, porque a extensão da minha visão é infinita. Eu o conheço e o compreendo completamente. Meus pensamentos o acolhem com um amor interminável. Eu *também conheço os planos que tenho para você: planos de fazê-lo prosperar e não de lhe causar dano, planos de dar-lhe esperança e um futuro*. Entregue-se por completo à aventura de prestar cada vez mais atenção à minha presença.

Romanos 12:2; Jeremias 29:11

2 de janeiro

RELAXE NA MINHA PRESENÇA CURADORA. Muitas vezes, enquanto você está comigo, seus pensamentos tendem a se desviar para seus planos e problemas. Traga sua mente de volta a mim para obter alívio e renovação. Deixe que a luz da minha presença o inunde quando você concentrar seus pensamentos em mim. Assim, lhe darei condições para enfrentar qualquer coisa que aconteça durante o dia. Este sacrifício me agrada e o fortalece. Não economize no tempo que passamos juntos. Resista ao clamor das tarefas que estão à espera. *Você escolheu o que é melhor, e isso não lhe será tirado.*

Salmos 105:4; Lucas 10:39-42

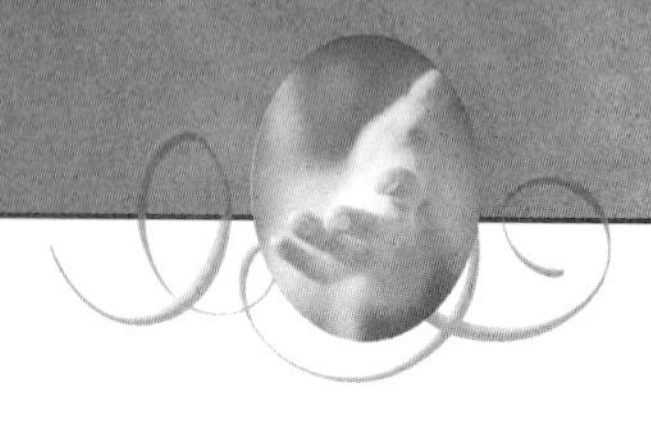

3 de janeiro

RENOVE-SE NA PAZ DA MINHA PRESENÇA. Essa paz pode ser sua o tempo todo e em todas as circunstâncias. Aprenda a *se esconder no abrigo da minha presença*, até mesmo enquanto cumpre suas obrigações diárias. Estou tanto com você quanto dentro de você. Estou à sua frente para abrir-lhe os caminhos, mas também sigo ao seu lado. Jamais haverá outra companhia tão dedicada quanto eu.

Como sou seu companheiro constante, deve haver leveza em seus passos que seja notada pelos outros. Não se deixe abater pelos problemas e assuntos não resolvidos, porque carrego seu fardo. Você vai passar por provações e sofrimentos, mas não se desespere. Eu *venci o mundo e acabei com o poder dele de ferir você*. Em mim você pode ter a segurança da paz.

Salmos 31:19-20; João 16:33

4 de janeiro

QUERO QUE VOCÊ APRENDA UM NOVO HÁBITO. Tente dizer "Confio em você, Jesus" em resposta a qualquer coisa que lhe aconteça. Se houver tempo, pense em quem sou e em todo o meu poder e glória; reflita também sobre a extensão e a profundidade do meu amor por você.

Esse exercício simples o ajudará a me ver em todas as situações, reconhecendo meu controle soberano sobre o Universo. Quando você vir os acontecimentos sob este ponto de vista – através da luz da minha presença –, o medo o abandonará. Circunstâncias adversas se tornam oportunidades de crescimento quando você afirma sua fé incondicional em mim. Você recebe bênçãos com gratidão, percebendo que elas jorram diretamente das minhas mãos. Sua declaração contínua de confiança em mim fortalecerá nossa relação e o manterá ao meu lado.

Salmos 63:2; Isaías 40:10-11;
Salmos 139:7-10

5 de janeiro

SUA VIDA PODE SER VITORIOSA se você depender de mim. As pessoas geralmente associam a vitória ao sucesso e a uma trajetória de vida sem fracassos ou problemas. Mas aqueles que são bem-sucedidos por si só tendem a seguir um caminho próprio, esquecendo-se de mim. É por meio dos obstáculos e do erro, da fraqueza e das necessidades que você aprende a confiar na minha presença.

Depender de mim não significa me pedir que abençoe o que você decidiu fazer, mas se aproximar de mim com a mente e o coração abertos, convidando-me a semear meus desejos em você. Posso infundir em você um sonho que está além do seu alcance. Você sabe que, sozinho, não é capaz de atingir essa meta. Assim começa sua jornada de dependência. É uma caminhada de fé, um passo de cada vez, confiando sempre em mim. Esse não é um caminho de sucesso contínuo, mas de múltiplos fracassos. Contudo cada fracasso é seguido pelo amadurecimento e alimentado pela confiança. Aproveite as bênçãos de uma vida vitoriosa pela dependência em mim.

Salmos 34:17-18; 2Coríntios 5:7

6 de janeiro

SOU CAPAZ DE FAZER MUITO mais do que você pede ou imagina. Aproxime-se de mim com otimismo, sabendo que não há limites para o que posso realizar. Peça ao meu Espírito que controle sua mente, de modo que você tenha pensamentos grandiosos a meu respeito. Não desanime se ainda não foi atendido. O tempo é um mestre e o ensina a me aguardar e a confiar em mim. Quanto mais difícil for a sua situação, maior é a probabilidade de que você veja *meu poder e minha glória* atuando. Em vez de se preocupar com os obstáculos, veja-os como um cenário montado para minha intervenção. Mantenha seus olhos e sua mente abertos para todas as coisas que estou fazendo em sua vida.

Efésios 3:20-21; Romanos 8:6;
Isaías 40:30-31; Apocalipse 5:13

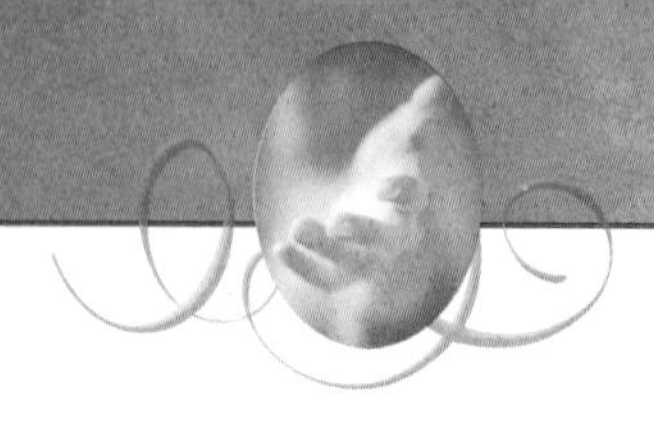

7 de janeiro

É IMPOSSÍVEL ME LOUVAR ou me agradecer em excesso. Às vezes sua adoração é um transbordamento espontâneo de alegria, numa reação à beleza ou às bênçãos. Em outras situações, é mais comedida – uma expressão da sua vontade. Eu me deleito igualmente nos dois tipos de louvor. A gratidão também é uma estrada majestosa que o aproxima de mim. Um coração grato tem bastante espaço para me acolher.

Quando você me agradece pelos muitos prazeres que lhe propicio, está afirmando que eu sou Deus, aquele de quem todas as bênçãos jorram. Quando a adversidade o assola e mesmo assim você me agradece, sua confiança em minha soberania se torna exemplar. Preencha os momentos de folga de sua vida com louvor e gratidão. Essa jubilosa disciplina o ajudará a viver na intimidade da minha presença.

Salmos 22:3; 146:1-2;
1Tessalonicenses 5:18

8 de janeiro

ANUNCIO TRANQUILAMENTE minha presença. Embora tenha todo o poder no céu e na Terra, sou infinitamente cuidadoso com você. Quanto mais fraco estiver, mais cuidado terei ao me aproximar. Deixe que sua fraqueza seja uma porta para a minha presença. Sempre que se sentir inadequado, lembre-se de que sou seu *auxílio sempre presente.*

Deposite suas esperanças em mim e o protegerei da depressão e da autocomiseração. A esperança é como um cordão de ouro que o liga ao paraíso. Quanto mais você se agarra a ele, mais suporto o peso dos seus fardos; assim você se sente mais leve. Não há peso no meu Reino. Apegue-se à esperança e meus raios de luz o alcançarão em meio às trevas.

Salmos 46:1; Romanos 12:12; 15:13

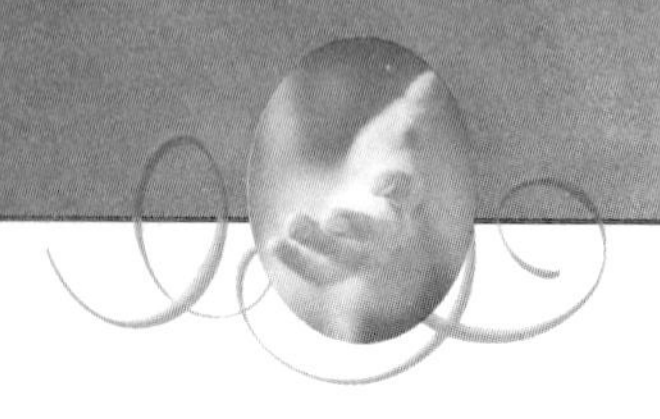

9 de janeiro

EU ESTOU COM VOCÊ E POR VOCÊ. Quando opta por agir de acordo com a minha vontade, nada pode detê-lo. Mesmo que depare com vários obstáculos enquanto busca seu objetivo, não se deixe abater. Nunca desista! Com minha ajuda, você pode superar qualquer dificuldade. Não espere que sua jornada ao meu lado seja fácil, mas lembre-se de que eu, seu *auxílio sempre presente*, sou onipotente.

Muitas das tensões são consequências do seu desejo de querer que as coisas aconteçam antes da hora. Uma das formas que uso para afirmar minha soberania é determinar um tempo certo para cada evento. Se você quer permanecer perto de mim e fazer as coisas do meu jeito, peça que eu lhe mostre o caminho passo a passo, sem apressar nada. Em vez de mergulhar de cabeça no seu objetivo, deixe que eu estabeleça a velocidade por você. Siga lentamente, aproveitando a paisagem ao meu lado.

Romanos 8:31; Salmos 46:1-3;
Lucas 1:37

10 de janeiro

TODAS AS VEZES QUE VOCÊ AFIRMA sua confiança em mim, deposita uma moeda em meu cofre. Assim, está fazendo uma poupança e se preparando para os dias difíceis. Em meu coração, mantenho em segurança toda a fé em mim investida e pago com juros. Quanto mais você confia em mim, mais lhe dou forças para confiar.

Pratique sua fé durante os dias de tranquilidade, quando nada de importante estiver acontecendo. Então, quando a tempestade chegar, sua fé acumulada será suficiente para ajudá-lo a sobreviver. *Acumule para você tesouros no céu*, colocando toda a sua confiança em mim. Essa prática o manterá na minha paz.

Salmos 56:3-4; Mateus 6:20-21

11 de janeiro

TENHA FÉ EM MIM, entregando o controle em minhas mãos. *Pare de lutar! Saiba que eu sou Deus!* Eis a minha palavra: eu fiz e eu controlo. Você é uma parte importante na litania do amor. Busco entre meus filhos aqueles que sejam receptivos a mim. Guarde bem essa dádiva que plantei em seu coração. Alimente-a com a luz da minha presença.

Quando me fizer pedidos em oração, deposite todas as suas preocupações em mim. Fale comigo candidamente; esvazie seu coração. Depois, agradeça-me pelas respostas que inspirei, mesmo antes de perceber os resultados. Quando me agradece pelo modo como respondo aos seus pedidos, sua mente se torna muito mais otimista. Orações de gratidão mantêm sua atenção voltada para a minha presença e as minhas promessas.

Salmos 46:10; Colossenses 4:2;
2Pedro 1:3-4

12 de janeiro

DEIXE-ME PREPARÁ-LO para o dia que se estende diante de você. Eu sei exatamente o que acontecerá neste dia, enquanto você tem apenas uma vaga ideia sobre isso. Você gostaria de ter um mapa com todas as curvas e reviravoltas de sua jornada. Com certeza se sentiria mais preparado se pudesse visualizar o que há na estrada à sua frente. Mas há um jeito melhor de se preparar para *qualquer coisa* que lhe aconteça hoje: passe um tempo ao meu lado.

Não lhe mostrarei o que há na estrada, mas vou equipá-lo totalmente para a jornada. Minha presença é a sua companhia em cada trecho do caminho. Permaneça em comunicação contínua comigo, sussurrando meu nome sempre que precisar redirecionar seus pensamentos. Assim, você atravessará este dia com sua atenção voltada para mim. Minha presença é o melhor mapa que existe.

Êxodo 33:14; João 15:4-7

13 de janeiro

TENTE VER CADA DIA como uma aventura cuidadosamente planejada pelo seu guia. Em vez de tentar programá-lo de acordo com a sua vontade, preste atenção em mim e em tudo o que eu organizei para você. Agradeça-me por este dia em sua vida, reconhecendo que ele é uma dádiva preciosa e única. Confie que estou ao seu lado em cada momento, mesmo que você não sinta minha presença. Uma atitude confiante e grata o ajudará a ver os acontecimentos da sua vida de acordo com a minha perspectiva.

Uma vida ao meu lado jamais será enfadonha ou previsível. Espere deparar-se com surpresas todos os dias! Resista à tendência de buscar o caminho mais fácil. Esteja disposto a seguir para onde eu o levar. Por mais íngreme e traiçoeira que seja a estrada à sua frente, o lugar mais seguro é ao meu lado.

Salmos 118:24; 1Pedro 2:21

14 de janeiro

DEIXE-ME ABENÇOÁ-LO com minha graça e paz. Abra seu coração e sua mente para receber tudo o que tenho para lhe dar. Não tenha vergonha do seu vazio interior. Ao contrário, veja nele a condição ideal para que você seja preenchido pela minha paz.

É fácil manipular sua aparência externa e fingir que tem controle sobre tudo. Suas tentativas de parecer bom podem enganar muitas pessoas. Mas o vejo sem disfarces, até as profundezas do seu ser. Não há lugar para fingimento na relação comigo. Alegre-se pelo alívio de ser totalmente compreendido. Converse comigo sobre suas dificuldades e inseguranças. Aos poucos, vou transformar suas fraquezas em força. Lembre-se de que nossa relação está embebida em graça. Portanto, *nada do que você faça ou deixe de fazer pode separá-lo do meu amor.*

1Samuel 16:7; Romanos 8:38-39

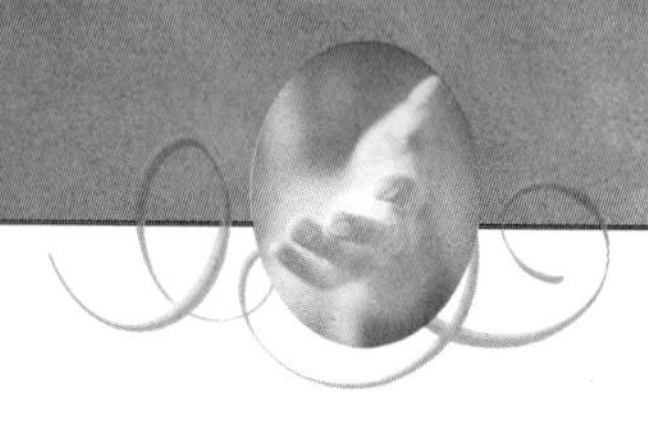

15 de janeiro

MEU ROSTO BRILHA SOBRE VOCÊ, irradiando uma *paz que transcende a compreensão*. Você está cercado por um mar de problemas, mas está diante de mim. Enquanto eu for seu foco, você estará seguro. Se você se concentrar demais nas dificuldades que o cercam, afundará sob o peso dos seus fardos. Quando começar a submergir, simplesmente grite: "Ajude-me, Jesus!", e o erguerei.

Quanto mais perto de mim você viver, mais seguro estará. Se a situação ficar difícil e houver ondas ameaçadoras ao longe, *mantenha seus olhos em mim*. Quando as ondas chegarem até você, elas diminuirão e atingirão o tamanho que eu desejar. Estou sempre ao seu lado, ajudando-o a enfrentar as tormentas de *hoje*. O futuro é um fantasma esperando para assustá-lo. Sorria para o futuro! Permaneça perto de mim.

Filipenses 4:7; Mateus 14:30; Hebreus 12:2

16 de janeiro

APROXIME-SE DE MIM e descanse em minha adorável presença. Você sabe que terá dificuldades durante o dia de hoje e está pensando em como ultrapassar tais provações. Ao antecipar o que está à sua frente, você esquece que *eu estou com você* – agora e sempre.

Antecipar seus problemas faz com que você os viva várias vezes, enquanto deveria passar por eles apenas quando ocorressem de fato. Não multiplique seu sofrimento dessa maneira. Em vez disso, aproxime-se de mim e relaxe em minha paz. Vou fortalecê-lo e prepará-lo para o dia, transformando seu medo em confiança.

Mateus 11:28-30; Josué 1:5,9

17 de janeiro

APROXIME-SE DE MIM COM O CORAÇÃO cheio de gratidão, para que você possa aproveitar minha presença. Este é o dia que eu criei. Quero que você se alegre hoje e se recuse a se preocupar com o amanhã. Procure por todas as coisas que preparei para você, prevendo bênçãos abundantes e aceitando as dificuldades à medida que elas surgirem. Posso produzir milagres durante o mais comum dos dias se você mantiver sua atenção em mim.

Aproxime-se de mim com todas as suas necessidades, sabendo que *minhas riquezas gloriosas* são o suprimento perfeito. Permaneça conectado comigo, de modo que possa viver acima de suas preocupações, mesmo quando estiver em meio a problemas. Apresente seus pedidos a mim com o coração grato, e então minha paz, que excede todo o entendimento, protegerá seu coração e sua mente.

Salmos 118:24; Filipenses 4:6-7; 1:9

18 de janeiro

EU O ESTOU GUIANDO PELA ESTRADA ALTA, mas nela há descidas e subidas. Ao longe, você vê picos cobertos de neve brilhando contra o sol. Sua vontade de alcançar aqueles picos é grande, mas você não deve pegar atalhos. Sua responsabilidade é me seguir, permitindo que eu guie seu caminho. Deixe que a altura o atraia, mas permaneça perto de mim.

Aprenda a confiar em mim quando as coisas dão "errado". Seus problemas cotidianos enfatizam sua dependência em mim. Aceitar as provações com fé lhe rende bênçãos que *sobrepujam todas as dificuldades*. Ande de mãos dadas comigo ao longo deste dia. Eu planejei com amor cada centímetro do caminho. A confiança não se abala quando a estrada se torna rochosa e íngreme. Sinta a minha presença e segure com força a minha mão. Juntos conseguiremos!

João 21:19; 2Coríntios 4:17;
Habacuque 3:19

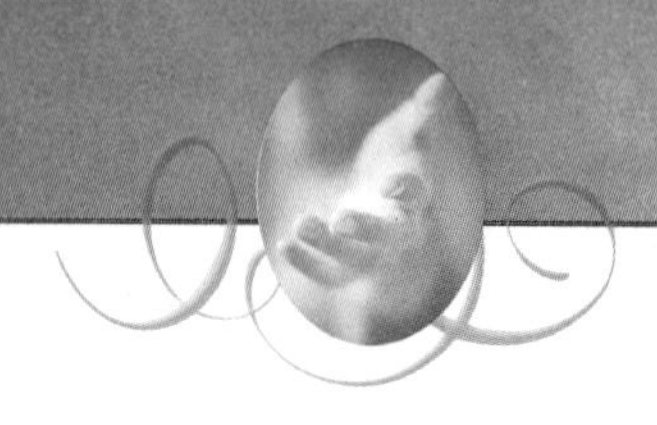

19 de janeiro

PROCURE PELA MINHA FACE e você encontrará mais do que jamais sonhou ser possível. *Deixe-me tirar as preocupações da essência do seu ser.* Sou como uma nuvem carregada, fazendo chover a paz e criando um reservatório em sua mente. Minha natureza é abençoar. A sua é receber com gratidão. Esse encaixe perfeito foi planejado antes da criação do mundo. Glorifique-me recebendo minhas bênçãos com gratidão.

Sou o objetivo de todas as suas buscas. *Quando procura por mim, você me encontra* e fica satisfeito. Quando objetivos insignificantes chamam sua atenção, oculto-me no pano de fundo da sua vida. Ainda estou lá, observando e esperando, mas você age como se estivesse sozinho. Na verdade, minha luz ilumina todas as situações que você enfrenta. Viva alegremente, expandindo sua atenção para que ela me inclua em todos os momentos. Não permita que nada atrapalhe essa busca.

Salmos 27:8; Filipenses 4:7;
Jeremias 29:13

20 de janeiro

ENCARE ESTE DIA SABENDO QUEM MANDA. Ao fazer planos para hoje, lembre-se de que sou eu quem orquestra todos os eventos da sua vida. Quando as coisas dão certo, você talvez não reconheça minha presença soberana. Nos dias em que seus planos se frustram, procure por mim. É possível que eu esteja realizando algo importante em sua vida, algo bem diferente do que você esperava. Em tais momentos, é essencial continuar se comunicando comigo, aceitando que minha vontade é melhor que a sua. Não tente entender o que está acontecendo. Simplesmente confie em mim e me agradeça antecipadamente por tudo de bom que surgirá. Eu *conheço os planos que tenho para você, e eles são bons.*

Isaías 55:9-11; Jeremias 29:11

21 de janeiro

QUERO QUE VOCÊ SEJA MEU POR INTEIRO. Eu o estou afastando de outras dependências. Sua segurança está apenas em mim – não em outras pessoas e não nas circunstâncias. Depender apenas de mim talvez seja como andar na corda bamba, mas há uma rede de segurança sob ela: *meus braços infinitos*. Por isso, não tenha medo de cair. Ao contrário, olhe para a frente, para mim. Estarei sempre diante de você, chamando-o, inspirando um passo por vez. *Nem altura nem profundidade, nem qualquer outra coisa na criação será capaz de separá-lo da minha presença.*

Deuteronômio 33:27; Romanos 8:39

22 de janeiro

ESFORCE-SE PARA CONFIAR EM MIM em todas as áreas da sua vida. Qualquer coisa que possa deixá-lo ansioso é uma oportunidade de amadurecimento. Em vez de fugir desses desafios, aceite-os, ávido por ganhar todas as bênçãos que escondi em meio às dificuldades. Se você acreditar que sou soberano, será possível confiar em mim em qualquer situação. Não desperdice energia se lamentando pelo modo como as coisas são ou pensando em como poderiam ser. Aceite-as e procure o meu caminho em meio a todos esses problemas.

A fé é como uma equipe na qual você pode confiar enquanto prossegue na sua jornada ao meu lado. Se você confiar em mim conscientemente, essa equipe carregará todo o peso para você. *Dependa, tenha fé e confie em mim com todo o seu coração e sua mente.*

Salmos 52:8; Provérbios 3:5-6

23 de janeiro

NÃO HÁ NADA DE ERRADO EM SER HUMANO. Quando sua mente se desviar durante a oração, não se surpreenda nem se irrite. Simplesmente volte sua atenção a mim. Sorria em segredo, sabendo que o entendo. Alegre-se com meu amor por você, um amor incondicional e sem limites. Sussurre meu nome com satisfação, certo de que *nunca o deixarei, nunca o abandonarei*. Inclua esses momentos de paz em todo o seu dia. Essa prática permitirá que você alcance uma *alma tranquila e calma*, o que me deixa feliz.

Ao viver em contato próximo comigo, a luz da minha presença se infiltrará em você para abençoar outras pessoas. Suas fraquezas e mágoas são aberturas pelas quais *a luz do conhecimento da minha glória* se irradia. Minha *força e poder se revelam mais eficientes nas suas fraquezas.*

Deuteronômio 31:6; 1Pedro 3:4;
2Coríntios 4:6-7; 12:9

24 de janeiro

MINHA PAZ É O TESOURO DOS TESOUROS: *pérolas de grande valor.* É uma dádiva extremamente cara tanto para quem dá quanto para quem recebe. Comprei essa paz para você com meu sangue. Você recebe esse presente tendo fé durante as tempestades da vida. Se você tem a paz mundana – se tudo está saindo de acordo com seus desejos –, não busca minha paz incomensurável. Agradeça-me quando as coisas não saírem conforme o planejado, porque bênçãos espirituais chegam envoltas em provações. Circunstâncias adversas são normais em um mundo decadente. Espere por elas todos os dias. Mas alegre-se diante das dificuldades, porque *eu venci o mundo.*

Mateus 13:46; Tiago 1:2; João 16:33

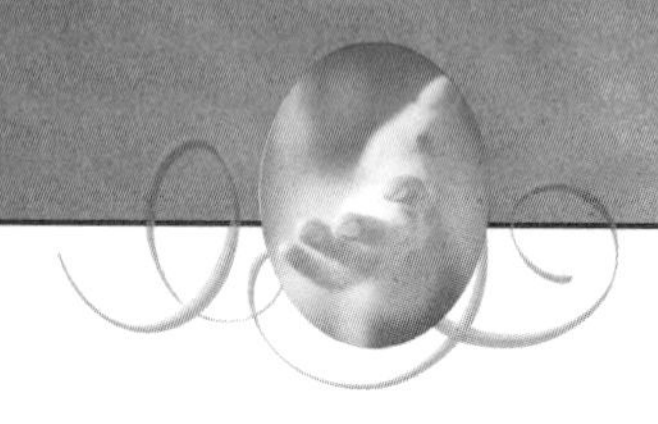

25 de janeiro

DEIXE QUE MEU AMOR o envolva no esplendor da minha glória. Sente-se imóvel sob a luz da minha presença e receba minha paz. Esses momentos de silêncio ao meu lado transcendem o tempo e realizam muito mais do que você imagina. Dê-me o sacrifício do seu tempo e observe como abençoo abundantemente você e todos os seus entes queridos.

Por meio da intimidade do nosso relacionamento, você está sendo *transformado* de dentro para fora. Quando você mantém sua atenção em mim, moldo-o na pessoa que quero que você seja. Seu papel é se render à minha obra criativa sobre você, sem resistir nem tentar acelerá-la. Aproveite o ritmo de uma vida inspirada por Deus deixando que eu determine a velocidade. Segure minha mão confiando em mim com a ingenuidade de uma criança e o caminho diante de você se abrirá passo a passo.

Hebreus 13:15; 2Coríntios 3:18;
Salmos 73:23-24

26 de janeiro

ABANDONE A ILUSÃO de que você merece uma vida sem problemas. Parte de você anseia por superar todas as dificuldades. Mas essa é uma esperança vã! Como disse aos meus discípulos, *neste mundo vocês terão aflições*. Concentre suas esperanças não na resolução dos problemas desta vida, e sim na promessa de uma vida eterna sem obstáculos no paraíso. Em vez de buscar a perfeição neste mundo decadente, direcione suas energias na busca de minha perfeita presença.

É possível glorificar-me em meio às circunstâncias mais adversas. Na verdade, minha luz brilha com mais intensidade para os cristãos que confiam em mim na escuridão. Quando as coisas parecerem erradas, tenha fé em mim mesmo assim. Estou menos interessado nas circunstâncias certas do que na reação correta ao que quer que surja em seu caminho.

João 16:33; Salmos 114:4,7

27 de janeiro

ACREDITE NUM CAMINHO DOURADO ATÉ o paraíso. Quando você pega essa trilha, vive acima de todos os problemas. Minha gloriosa luz brilha mais sobre aqueles que seguem este caminho de vida. Ouse andar na estrada certa ao meu lado, porque ela o conduz diretamente ao paraíso. A parte baixa da estrada é tortuosa: com curvas para lá e para cá, formando intrincados nós. O ar é pesado e escuro, e as nuvens ameaçadoras predominam. *Apoiar-se em seu próprio entendimento* o fará se curvar sob o próprio peso. *Reconheça-me em todos os seus caminhos e eu endireitarei as suas veredas.*

João 14:1-2; Provérbios 3:5-6

28 de janeiro

EU ESTAREI SEMPRE COM VOCÊS. Essas foram as últimas palavras que falei antes de ascender aos céus. Continuo a proclamar essa promessa a todos capazes de ouvi-la. As pessoas reagem à minha presença de várias maneiras. A maioria dos cristãos aceita esse ensinamento como verdade, mas o ignora em sua vida cotidiana. Poucas pessoas centram sua vida nessa gloriosa promessa e se descobrem abençoadas para além de suas expectativas.

Quando minha presença é o foco principal de sua consciência, todas as peças da sua vida se encaixam. Ao olhar para mim com os olhos do coração, você pode ver o mundo pela minha perspectiva. O fato de *eu estar com você* traz sentido a cada momento de sua existência.

Mateus 28:20; Salmos 139:1-4

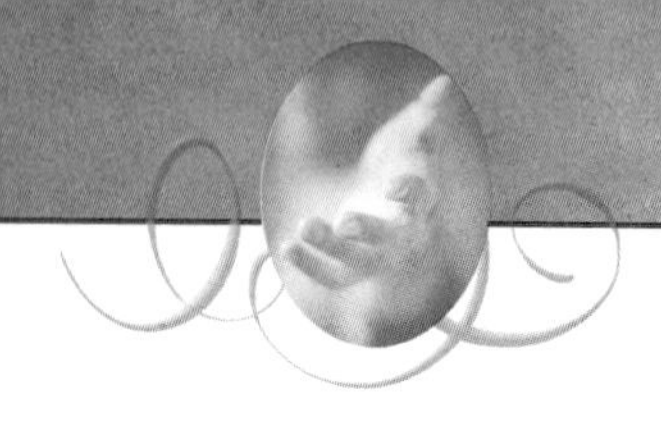

29 de janeiro

MANTENHA-SE FOCADO EM MIM. Eu o presenteei com uma incrível liberdade, inclusive a de escolher aquilo em que concentrará seus pensamentos.

Deixe que o objetivo deste dia seja *tornar todos os seus pensamentos meus prisioneiros.* Se eles se libertarem, lace-os e traga-os de volta para mim. Sob minha luz radiante, a ansiedade diminui. Julgamentos são desmascarados quando você se aquece no meu amor incondicional. Ideias confusas se esclarecem enquanto você descansa na simplicidade da minha paz. Eu *o protegerei e o manterei em paz enquanto você voltar seus pensamentos a mim.*

Salmos 8:5; Gênesis 1:26-27;
2Coríntios 10:5; Isaías 26:3

30 de janeiro

ADORE SOMENTE A MIM. Qualquer outra coisa que ocupe sua mente se torna seu deus. Preocupações, se alimentadas, transformam-se em ídolos. A ansiedade ganha vida própria, infestando e parasitando sua mente. Liberte-se dessa escravidão afirmando sua fé em mim e descansando na minha presença. O que se passa em sua mente é invisível, imperceptível às outras pessoas. Mas leio seus pensamentos o tempo todo, em busca de evidências da sua fé. Eu me deleito quando sua mente se volta para mim. Proteja com cuidado seus pensamentos; bons pensamentos o mantêm ao meu lado.

Salmos 112:7; 1Coríntios 13:11

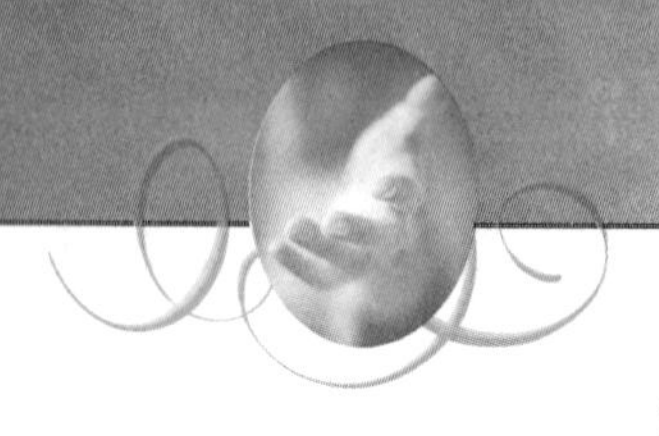

31 de janeiro

Sou sua força e seu escudo. Planejo todos os dias e os preparo para você, muito antes que você se levante da cama. Também lhe dou a força de que você precisa em cada passo do caminho. Em vez de avaliar seu nível de energia e se perguntar o que há na estrada à sua frente, concentre-se em manter contato comigo. Meus poderes fluem livremente para dentro de você por meio da nossa franca comunicação. Recuse-se a gastar energia se preocupando e você terá forças de sobra.

Sempre que começar a sentir medo, lembre-se de que sou seu escudo. Mas, diferentemente de uma armadura sem vida, estou sempre alerta e ativo. Minha presença cuida de você o tempo todo, protegendo-o dos perigos conhecidos e desconhecidos. Entregue-se aos meus cuidados, que são o melhor sistema de segurança que existe. *Estou com você e cuidarei de você, aonde quer que vá.*

Salmos 28:7; Mateus 6:34;
Salmos 56:3-4; Gênesis 28:15

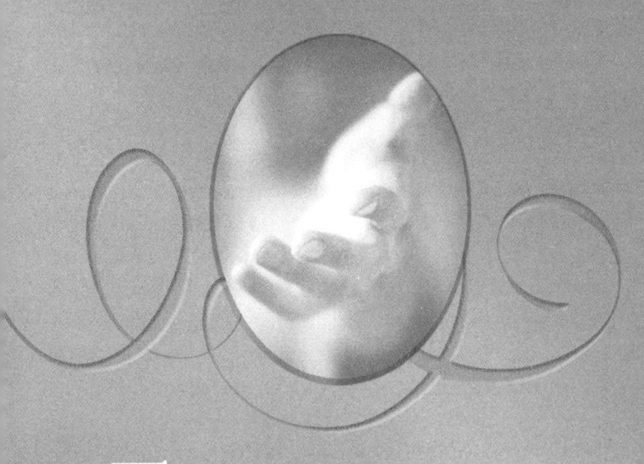

Fevereiro

"Recorram ao Senhor e ao seu poder; busquem sempre a sua presença."

Salmos 105:4

1º de fevereiro

SIGA-ME, UM PASSO DE CADA VEZ. Isso é tudo o que exijo de você. Na verdade, essa é a única maneira de se mover por este mundo. Você vê enormes montanhas se estendendo ao longe e começa a se perguntar como chegará ao topo. Você me conta que está preocupado com os penhascos adiante. Mas não sabe o que acontecerá hoje, muito menos amanhã. A estrada pode fazer uma curva repentina e afastá-lo das montanhas. Pode haver uma subida menos íngreme, que você não consegue ver de onde está. Se o levar pelos penhascos, vou lhe dar todas as condições para que resista à cansativa escalada. *Vou até mesmo lançar meus anjos sobre você, para protegê-lo em todos os seus caminhos.*

Mantenha-se atento à sua jornada, deleitando-se com a minha presença. *Ande orientado pela fé, não pelo que vê*, confiando em mim para lhe abrir os caminhos antes mesmo que você passe por eles.

Salmos 18:29; 91:11-12; 2Coríntios 5:7

2 de fevereiro

ESTOU RENOVANDO SUA MENTE. Quando seus pensamentos fluem livremente, eles tendem a se focar nos problemas. Então você lhes dedica toda a sua atenção, na tentativa de dominá-los. Sua energia é sugada por essa negatividade e você não consegue lidar com outros assuntos. Pior: perde-me de vista.

Uma mente renovada está concentrada na minha presença. Treine sua mente para me procurar em todos os momentos, em todas as situações. Às vezes você pode me encontrar à sua volta: no canto de um pássaro, no sorriso da pessoa amada, no brilho do sol. Em outras, precisa mergulhar dentro de si mesmo para me encontrar. Estou sempre presente em seu espírito. *Procure pela minha face*, fale comigo, e iluminarei sua mente.

Romanos 12:2; Salmos 105:4

3 de fevereiro

ESTOU COM VOCÊ E POR VOCÊ. Você não enfrenta nada sozinho – nada! Quando se sente nervoso, é porque está se concentrando no mundo visível e me deixando de lado. A solução é simples: *fixe os olhos não naquilo que se vê, mas no que não se vê.* Verbalize sua fé em mim, o Deus Vivo que sempre o enxerga. Eu o conduzirei em segurança por este e por todos os outros dias de sua vida. Mas você só pode me encontrar no presente. Cada dia é uma dádiva especial do meu pai. É tolice esperar pelo futuro tendo o presente diante de si. Aceite a dádiva de hoje com gratidão, desembrulhando-a com cuidado e mergulhando em suas profundezas. Ao saborear este presente, você me encontrará.

Romanos 8:31; 2Coríntios 4:18;
Gênesis 16:13-14

4 de fevereiro

TRAGA-ME SUAS FRAQUEZAS e receba minha paz. Aceite a si mesmo e as circunstâncias como elas são, lembrando-se de que sou soberano sobre todas as coisas. Não perca tempo analisando e planejando. Ao contrário, deixe que a gratidão e a fé o guiem ao longo deste dia; elas o manterão perto de mim. Ao viver sob o brilho da minha presença, minha paz se refletirá em você. Assim, deixará de pensar em quão fraco ou forte se sente, porque estará focado em mim. A melhor forma de viver este dia é passo a passo, ao meu lado. Continue nesta jornada íntima, acreditando que o caminho que você está seguindo conduz ao paraíso.

Salmos 29:11; Números 6:24-26;
Salmos 13:5

5 de fevereiro

PROCURE PELA MINHA FACE e você encontrará não apenas a minha presença, como também a minha paz. Para recebê-la, você deve abandonar sua postura controladora e adotar um comportamento aberto e confiante. A única coisa à qual você pode se agarrar sem causar dano à sua alma é a minha mão. Peça ao meu Espírito, dentro de você, que organize seu dia e domine seus pensamentos, porque uma mente controlada pelo Espírito é *vida e paz.*

Você pode ter a mim e a minha paz o quanto quiser, por meio de milhares de escolhas que faz todos os dias. A maior decisão que você terá de tomar diz respeito a confiar em mim ou se preocupar. Você nunca deixará de ter coisas com as quais se preocupar, mas pode optar por confiar em mim em qualquer situação. Sou seu *auxílio sempre presente na adversidade.* Confie em mim, *ainda que a terra trema e os montes afundem no coração do mar.*

Romanos 8:6; Salmos 46:1-2

6 de fevereiro

APROXIME-SE DE MIM E DESCANSE. Só tenho olhos para você, para abençoá-lo e reabilitá-lo. Inspire-me sempre que respirar. A estrada à sua frente é bastante íngreme. Caminhe devagar e segure com força a minha mão. Estou lhe ensinando uma lição difícil, que só se aprende com trabalho duro.

Levante as mãos com fé para receber minha preciosa presença. Luz, vida, alegria e paz fluem livremente dessa dádiva. Quando sua atenção se afasta de mim, você se apega a outras coisas. Ao procurar cinzas sem vida, você abre mão da minha presença. Volte para mim; recupere a minha presença.

Mateus 11:28-29; 1Timóteo 2:8

7 de fevereiro

APROXIME-SE DE MIM para descansar e rejuvenescer. A jornada tem sido dura e você está exausto. Não se envergonhe do seu cansaço. Ao contrário, perceba nele uma oportunidade para deixar que eu assuma o controle da sua vida.

Lembre-se de que *posso adequar todas as coisas a um ideal de bem*. Aceite que está neste momento exatamente onde eu queria que estivesse. Atravesse o dia, um passo de cada vez. Sua principal tarefa é se manter atento a mim, permitindo que o guie nas várias decisões que deverá tomar ao longo do caminho.

Parece uma tarefa fácil, mas não é. Seu desejo de viver ao meu lado vai contra a natureza *do mundo, da carne e do demônio*. A maior parte das suas fraquezas resulta da batalha constante contra esses oponentes. Mas você está no caminho que escolhi, por isso não desista! *Tenha fé em mim, porque você vai me louvar novamente com a ajuda da minha presença.*

Romanos 8:28; Salmos 42:11

8 de fevereiro

ESTOU ACIMA DE TODAS AS COISAS: seus problemas, suas dores e os acontecimentos inesperados deste mundo em constante mutação. Quando você contempla minha face, se eleva para além das circunstâncias e descansa ao meu lado em *regiões celestiais*. Este é o caminho da paz, vivendo na luz da minha presença. Garanto que você sempre terá dificuldades, mas elas não devem se tornar seu foco. Quando sentir que está se afogando num mar de problemas, diga "*Senhor, salve-me*!" e o puxarei para perto de mim. Mesmo que tenha que dizer isso milhares de vezes todos os dias, não perca a esperança. Conheço suas fraquezas e é exatamente nelas que o encontro.

Efésios 2:6; Mateus 14:28-32

9 de fevereiro

BUSQUE A MINHA FACE, cada vez mais. Você está apenas começando sua jornada de intimidade comigo. Não é um caminho fácil, mas é uma viagem prazerosa e privilegiada, como uma caça ao tesouro. Eu sou o tesouro e a glória da minha presença reluz pela trilha. As provações também fazem parte da jornada. Eu as distribuo com cuidado, na dose precisa, com uma ternura que você nem consegue imaginar. Não recue diante das aflições, já que elas estão entre os meus presentes prediletos. *Tenha confiança em mim e não tema, porque sou a sua força e o seu cântico.*

Salmos 27:8; 2Coríntios 4:7;
Isaías 12:2

10 de fevereiro

CONFIE EM MIM O BASTANTE para passar muito tempo ao meu lado, ignorando as demandas do dia. Recuse-se a se sentir culpado em relação a algo que é tão bom para mim, o Rei do Universo. Como sou onipotente, sou capaz de distorcer o tempo e os eventos a seu favor. Você descobrirá que pode realizar *mais* em menos tempo depois de se entregar a mim em comunhão. Além disso, ao se alinhar com a minha perspectiva, você saberá decidir o que é ou não importante.

Não caia na armadilha de estar sempre ocupado. Muitas coisas que as pessoas fazem em meu nome não valem nada no meu reino. Para evitar esforços inúteis, permaneça em comunicação contínua comigo. Eu *o instruirei e o ensinarei o caminho que você deve seguir; eu o aconselharei e cuidarei de você.*

Lucas 10:41-42; Salmos 32:8

11 de fevereiro

MINHA PAZ É COMO UM FEIXE DE LUZ dourada brilhando sobre você o tempo todo. Durante os dias ensolarados, ela pode se misturar à paisagem. Nos dias de trevas, ela se revela em contraste marcante ao lado dos seus problemas. Veja os momentos difíceis como oportunidades para deixar minha luz brilhar com um esplendor transcendental. Estou lhe ensinando a praticar a paz que vence a escuridão. Colabore comigo nesse treinamento. *Não se canse nem desanime.*

João 1:4-5; Hebreus 12:3

12 de fevereiro

ESTOU SEMPRE MUITO PERTO de você, pairando sobre seu ombro, lendo seus pensamentos. Algumas pessoas acham que os pensamentos são fugazes e inúteis, mas os seus são preciosos para mim. Eu sorrio quando você pensa coisas boas a meu respeito. Meu Espírito, que vive dentro de você, ajuda-o a pensar meus pensamentos. À medida que eles evoluem, todo o seu ser também evolui.

Deixe-me ser seu foco positivo. Quando você olha para mim, reconhecendo-me como *o Deus ao seu lado*, experimenta a alegria. Isso acontece de acordo com meu projeto, que remonta à época da criação. O homem moderno busca seu foco positivo em outros lugares: no esporte, nas sensações, no consumismo. A publicidade se aproveita do desejo das pessoas de terem um foco positivo em suas vidas. Plantei esse desejo na alma de vocês sabendo que somente eu seria capaz de satisfazê-lo completamente. *Deleite-se em mim e eu atenderei aos desejos do seu coração.*

Mateus 1:23; Salmos 37:4

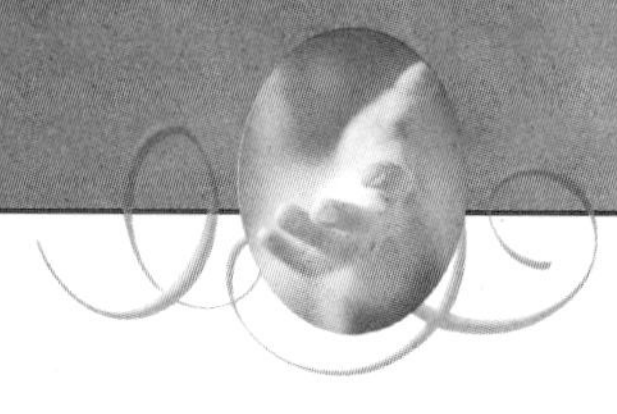

13 de fevereiro

QUE A PAZ ESTEJA COM VOCÊ! Desde a ressurreição, essa tem sido minha senha para as pessoas que anseiam por mim. Ao se sentar tranquilamente, deixe que a minha paz se acomode sobre você e o envolva em minha adorável presença. Para lhe conceder esta paz, tive uma morte horrível. Receba-a com abundância e gratidão. É um raro tesouro, deslumbrante em sua delicada beleza, mas resistente o bastante para suportar todos os suplícios. Vista minha paz com uma dignidade real. Eu manterei seu coração e sua mente perto de mim.

João 14:27; 20:19,21

14 de fevereiro

ENTREGUE-SE TOTALMENTE À aventura do dia de hoje. Caminhe com ousadia pela estrada da vida, contando com minha companhia sempre presente. Você tem todos os motivos para estar seguro, pois estou ao seu lado todos os dias – e por toda a eternidade. Não se deixe levar por medo ou preocupações, esses ladrões da vida plena. Confie em mim para enfrentar os problemas que surgem, em vez de tentar se antecipar a eles. *Mantenha seus olhos em mim, o autor e aquele que aperfeiçoa sua fé*; assim, muitas das dificuldades desaparecerão antes que você se depare com elas. Sempre que começar a sentir medo, lembre-se de que *o seguro pela mão direita*. Nada pode separá-lo da minha presença!

Hebreus 12:2; Isaías 41:13

15 de fevereiro

APROXIME-SE DE MIM com todas as suas fraquezas: físicas, emocionais e espirituais. Descanse no conforto da minha presença, lembrando que *nada é impossível para mim*.

Afaste seus pensamentos dos problemas e se concentre em mim. Lembre-se de que sou *capaz de realizar muito mais do que você pede ou imagina*. Em vez de tentar me convencer a fazer isto ou aquilo, tente sintonizar-se com o que já estou realizando.

Quando a ansiedade tentar se infiltrar em seus pensamentos, lembre-se de que *eu sou seu Pastor*. A verdade é que estou sempre cuidando de você, então não é necessário temer nada. Em vez de procurar controlar sua vida, entregue-se à minha vontade. Ainda que isso possa parecer assustador – e até perigoso –, o lugar mais seguro é ao meu lado.

Lucas 1:37; Efésios 3:20-21;
Salmos 23:1-4

16 de fevereiro

AGRADEÇA-ME PELAS CONDIÇÕES que exigem que você fique imóvel. Não arruine esses momentos de tranquilidade desejando que eles acabem, esperando impacientemente para agir de novo. Algumas das minhas maiores obras foram realizadas em camas de doentes ou em celas de prisões. Em vez de se ressentir pelas limitações de um corpo enfraquecido, procure meu caminho em meio a essa situação. Limitações podem ser libertadoras quando seu principal desejo é viver perto de mim.

Tranquilidade e fé aumentam sua consciência da minha presença ao seu lado. Não despreze essas formas simples de me servir. Ainda que você se sinta isolado do mundo, sua fé representa uma poderosa afirmação nos reinos espirituais. *O meu poder se aperfeiçoa na fraqueza.*

Zacarias 2:13; Isaías 30:15;
2Coríntios 12:9

17 de fevereiro

EU SOU O ELEVADO, que brilha sempre sobre você. Sua relação comigo deve ser vibrante e mais desafiadora à medida que invado outras áreas da sua vida. Não tema as mudanças, porque o estou transformando numa *nova criação, com as coisas velhas ficando para trás e coisas novas surgindo continuamente no horizonte.* Quando você se apega aos velhos caminhos e à mesmice, resiste à minha obra dentro de você. Quero que aceite tudo o que estou fazendo e encontre segurança somente em mim.

É fácil transformar a rotina num ídolo e sentir-se protegido dentro dos limites que construiu para a sua vida. Ainda que todos os dias tenham 24 horas, cada um deles representa um conjunto único de circunstâncias. Não tente forçar o hoje no molde do ontem. Ao contrário, peça que eu lhe abra os olhos, de modo que você possa descobrir tudo o que preparei para você neste dia precioso.

Mateus 28:5-7; 2Coríntios 5:17

18 de fevereiro

ESTOU AO SEU LADO. Essas palavras são como uma rede de proteção que impede que você caia em desespero. Como você é humano, sempre tem altos e baixos na vida. Mas a minha presença limita quão longe você pode ir. Às vezes você pode sentir-se como se estivesse em queda livre, quando pessoas ou coisas nas quais confiou o decepcionam. Mas assim que se lembra de que *estou ao seu lado*, seu ponto de vista muda radicalmente. Em vez de lamentar seus problemas, pode me procurar para ajudá-lo. Você se recorda não só de que estou ao seu lado, mas também de que *o seguro pela mão direita. Eu o guio com meus conselhos e, depois, conduzo-o à glória*. Esta é exatamente a perspectiva de que você precisa: a segurança da minha presença e a gloriosa esperança do paraíso.

Sofonias 3:17; Salmos 73:23-26

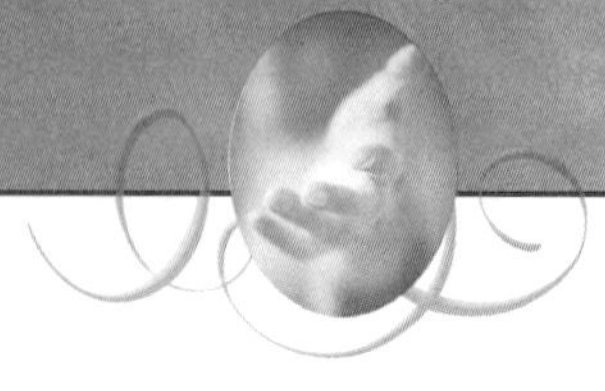

19 de fevereiro

VOCÊ ESTÁ SE SENTINDO SOBRECARREGADO por vários problemas, grandes e pequenos. Eles parecem demandar mais e mais a sua atenção, mas você não deve aceitar essas exigências. Quando sentir que as dificuldades de sua vida o estão aprisionando, liberte-se passando algum tempo a sós comigo. Você precisa se lembrar de quem sou. Depois, traga-me humildemente suas preces e seus pedidos. Seus problemas se tornarão menores quando vistos sob a luz da minha presença. Você pode aprender a ser feliz ao lado de seu soberano, mesmo em circunstâncias adversas. Confie em mim, que sou *sua Força; eu transformo seus pés nos pés de um cervo, permitindo que você chegue aos lugares mais altos.*

Êxodo 3:14; Habacuque 3:17-19

20 de fevereiro

APRENDA A VIVER COM SUA ALMA centrada em mim. Eu habito as profundezas do seu ser, numa união eterna com seu espírito. É nesse nível de profundidade que minha paz reina continuamente. Você não encontrará paz duradoura na vida à sua volta, nos acontecimentos ou nas relações humanas. O mundo externo está sempre fluindo sob a maldição da morte e da decadência. Mas há uma mina de ouro de paz dentro de você, esperando para ser explorada. Reserve algum tempo para mergulhar nas riquezas da minha presença. Quero que você viva cada vez mais usando esse núcleo verdadeiro, em que meu amor tem um laço eterno com você. *Sou o Cristo em você, a esperança da glória.*

Colossenses 1:27; 3:15

21 de fevereiro

FÉ E GRATIDÃO O CONDUZIRÃO em segurança ao longo deste dia. A fé o impede de se preocupar e de ficar obcecado. A gratidão o livra das críticas e da reclamação, esses pecados que o confundem com tanta facilidade.

Fixar seus olhos em mim é o mesmo que confiar na minha presença. É uma escolha que você tem a liberdade de fazer milhares de vezes todos os dias. Quanto mais você opta por confiar em mim, mais fácil isso se torna, pois um padrão de confiança fica gravado em seu coração. Empurre os problemas para a periferia da sua mente, de modo que eu me torne o centro de seus pensamentos. Assim, você ficará focado em mim, confiando suas preocupações aos meus cuidados.

Colossenses 2:6-7;
Salmos 141:8; 1Pedro 5:7

22 de fevereiro

VOCÊ PRECISA DE MIM em todos os momentos. Ter consciência dessa necessidade constante é sua maior qualidade. Sua carência, direcionada adequadamente, é uma ponte para encontrar a minha presença. Mas há armadilhas com as quais você deve tomar cuidado: a autocomiseração, a autopiedade, a desistência. Sua inadequação lhe apresenta uma escolha: a dependência de mim ou o desespero. O vazio que você sente tem de ser preenchido pelos problemas ou pela minha presença. Torne-me o centro da sua consciência *orando continuamente*: orações simples e curtas que fluem do presente. Use meu nome livremente, para se lembrar de que estou ao seu lado. *Peça e receberá, para que sua alegria seja completa.*

1Tessalonicenses 5:17; João 16:24

23 de fevereiro

PROTEJA-SE DA AUTOPIEDADE. Quando você está mal ou cansado, essa armadilha demoníaca é o maior perigo que você enfrenta. Não chegue perto do precipício da depressão. Sua borda se desfaz facilmente e, antes que você perceba, está caindo. É mais difícil escapar da depressão do que se manter a uma distância segura dela. É por isso que lhe digo para se proteger.

Há várias maneiras de evitar a autopiedade. Quando você está ocupado me louvando e me agradecendo, não pode sentir pena de si mesmo. Assim, quanto mais perto de mim você viver, maior será a distância entre você e a depressão. *Ande na luz da minha presença mantendo os olhos fixos em mim.* Dessa forma, você será capaz de *correr com perseverança a corrida que lhe é proposta,* sem tropeçar ou cair.

Salmos 89:15; Hebreus 12:1-2

24 de fevereiro

FIQUE IMÓVEL SOB A LUZ DA MINHA PRESENÇA, enquanto lhe transmito meu amor. Não há força no Universo tão poderosa quanto a força desse sentimento. Você está constantemente atento às limitações, suas e dos outros, mas não há limites para o meu amor: ele preenche todo o espaço, o tempo e a eternidade.

Agora, pois, você vê apenas um reflexo obscuro, como em espelho; mas algum dia me verá face a face. Então será capaz de compreender quão grande, extenso e profundo é o meu amor por você. Se você o experimentasse agora, ficaria tão emocionado que seria esmagado. Mas você tem a eternidade à sua frente, absolutamente garantida, durante a qual poderá regozijar-se com minha presença. Por enquanto, basta saber que estou ao seu lado para que você atravesse bem o dia.

1Coríntios 13:12; Efésios 3:16-19

25 de fevereiro

DESCANSE NA MINHA PRESENÇA, permitindo que eu assuma o controle deste dia. Não se lance sobre o hoje como um cavalo de corrida repentinamente solto. Em vez disso, caminhe com propósito ao meu lado, deixando que eu o guie, um passo de cada vez. Agradeça-me cada bênção que receber ao longo do caminho; isso alegra tanto a você quanto a mim. Um coração grato o protege de pensamentos negativos. A gratidão permite que você veja a riqueza que lhe envio diariamente. Suas orações e seus pedidos são levados até a sala do trono do paraíso, onde são permeadas com agradecimentos. *Dê graças em todas as circunstâncias, pois esta é a minha vontade.*

Colossenses 4:2; 1Tessalonicenses 5:18

26 de fevereiro

EU O ESTOU CONDUZINDO, PASSO A PASSO, ao longo da sua vida. Segure a minha mão numa relação de dependência e confiança, deixando-me guiá-lo por este dia. Seu futuro parece incerto e frágil, mas é assim que deve ser. *As coisas encobertas pertencem a mim*, e o futuro é um segredo. Quando você se esforça para adivinhar o futuro, tenta se apropriar de coisas que são minhas. Essa, como todas as outras formas de preocupação, é uma atitude que demonstra rebeldia: você está duvidando da minha promessa de zelar por sua vida.

Sempre que se surpreender pensando no futuro, volte-se para mim. Eu lhe mostrarei qual o próximo passo, e todos os seguintes. Relaxe e aproveite a jornada na minha presença, confiando em mim para lhe abrir os caminhos antes que você avance.

Deuteronômio 29:29; Salmos 32:8

27 de fevereiro

MANTENHA SEUS OLHOS EM MIM! Ondas de adversidade estão se abatendo contra você, que se sente tentado a desistir. Como os problemas consomem cada vez mais sua atenção, você está me perdendo de vista. Mas *estou sempre ao seu lado, segurando-o pela mão direita*. Conheço muito bem sua situação *e não permitirei que você seja tentado além do que é capaz de suportar.*

O maior perigo é se preocupar com o futuro. Se tentar carregar hoje os fardos do amanhã, vai ficar paralisado pelo peso e acabará caindo. Você precisa se disciplinar para viver dentro dos limites do hoje. É no presente que caminho perto de você, ajudando-o a carregar suas cargas mais pesadas. Mantenha sua atenção voltada para a minha presença no momento atual.

Salmos 73:23; 1Coríntios 10:13

28 de fevereiro

PARE DE SE CRITICAR E DE SE JULGAR, porque esta não é sua função. Acima de tudo, pare de se comparar às outras pessoas. Isso só gera sentimentos de orgulho ou de inferioridade. Eu guio todos os meus filhos por um caminho que é feito sob medida para cada um. Comparar-se não é apenas errado, é também inútil.

Não busque a autoafirmação nos lugares errados, como em suas próprias análises ou na opinião de outras pessoas. A única fonte de afirmação verdadeira é meu amor incondicional. Muitos cristãos me veem como um juiz implacável, numa busca cruel por seus erros e fracassos. Nada poderia estar mais distante da verdade! Eu morri por seus pecados, de modo que pudesse *vesti-lo com as vestes da salvação.* Quando o disciplino, nunca é com raiva ou desprezo; faço isso a fim de prepará-lo para uma amizade franca comigo por toda a eternidade. Banhe-se na minha adorável presença. Seja receptivo à minha afirmação, que flui continuamente do trono da graça.

Lucas 6:37; João 3:16-17;
Isaías 61:10; Provérbios 3:11-12

29 de fevereiro

Você está no caminho certo. Ouça-me mais e dê menos ouvidos às suas dúvidas. Eu o estou guiando ao longo do caminho que planejei para você. Portanto, esta é uma jornada solitária, em termos humanos. Mas sigo à sua frente e também ao seu lado, de modo que você nunca está sozinho. Não espere que outra pessoa entenda a estrada que criei para você, assim como você não é capaz de compreender a maneira como lido com os outros. Estou lhe revelando o caminho da vida dia após dia, momento a momento. Assim disse para meu apóstolo Pedro e repito para você: *Siga-me.*

Salmos 119:105; João 21:22

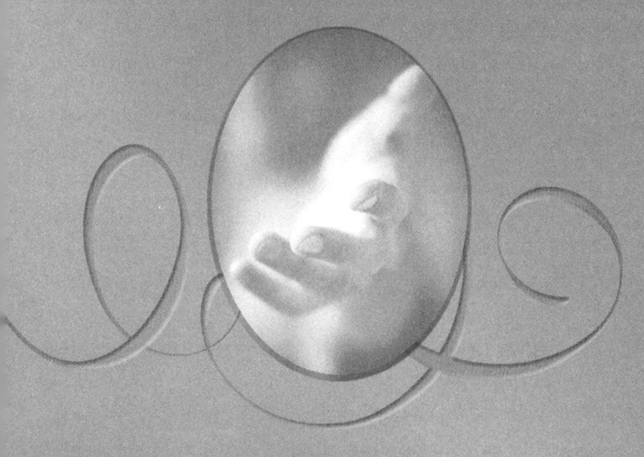

Março

"Depois de conduzir para fora todas as suas ovelhas, vai adiante delas, e estas o seguem, porque conhecem a sua voz."

João 10:4

1º de março

QUANDO ALGO NA SUA VIDA ou nos seus pensamentos deixá-lo ansioso, aproxime-se de mim e converse sobre isso. Traga-me sua *oração e seus pedidos com gratidão*, dizendo: "Obrigado, Jesus, por esta oportunidade de confiar ainda mais em ti". Ainda que as lições de fé que lhe envio estejam envoltas em dificuldades, os benefícios valem a pena.

A fé bem sedimentada lhe renderá muitas bênçãos, entre as quais a minha paz. Eu prometi *conceder-lhe a paz* na medida da sua confiança em mim. O mundo compreendeu isso erradamente, ensinando que a paz é o resultado da segurança financeira. Minha paz, contudo, é uma dádiva tão abrangente que independe das circunstâncias. Ainda que você perca todas as coisas, se ganhar minha paz estará realmente rico.

Filipenses 4:6; Isaías 26:3

2 de março

EU SOU A RESSURREIÇÃO E A VIDA; toda a vida eterna emana de mim. As pessoas buscam a vida de várias formas erradas: perseguindo prazeres fugazes, acumulando bens e riquezas, tentando negar os efeitos inevitáveis do envelhecimento. Enquanto isso, ofereço de graça a verdadeira vida a todos os que se voltam para mim. Quando você *se aproxima de mim e deixa que eu o domine,* eu o preencho com minha própria vida. Foi assim que escolhi viver no mundo e realizar meus propósitos. É também assim que o abençoo com uma *alegria indescritível e cheia de glória.* A alegria é minha e a glória também é minha, mas as concedo a você à medida que você vive na minha presença, convidando-me para viver plenamente dentro de você.

João 11:25; Mateus 11:28-29; 1Pedro 1:8-9

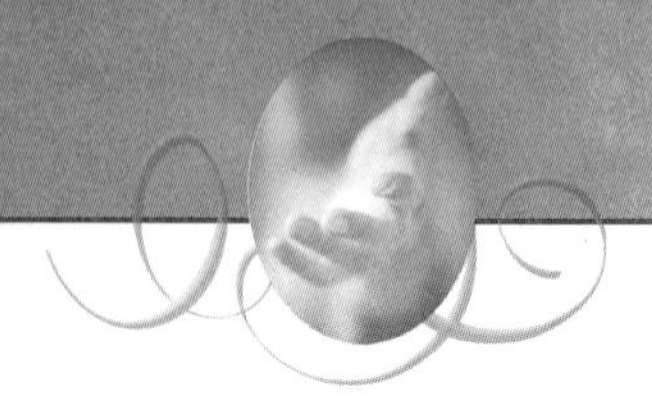

3 de março

Eu o amo por aquilo que você é, não pelo que faz. Muitas vozes disputam o controle da sua mente, principalmente quando você está em silêncio. Você deve aprender a diferenciar qual delas é a minha voz e qual não é. Peça ao meu Espírito que lhe dê esse discernimento. Muitos dos meus filhos andam em círculos, tentando obedecer às várias vozes que conduzem suas vidas. Isso resulta numa existência fragmentada e frustrada. Não caia nessa armadilha. Acompanhe-me de perto em todos os momentos, ouvindo minhas orientações e aproveitando a minha companhia. Recuse-se a deixar que outras vozes o prendam. Minhas *ovelhas conhecem minha voz e me seguem para onde as levar.*

Efésios 4:1-6; João 10:4

4 de março

Rejeite todas as preocupações! Neste mundo sempre haverá motivos para afligi-lo. Esta é a natureza de um planeta dividido e decadente: as coisas não são como deveriam. Assim, a tentação da ansiedade estará sempre ao seu lado, querendo se infiltrar em sua mente. A melhor defesa para isso é *a comunicação constante comigo*. A consciência da minha presença preenche sua mente com a luz e a paz, sem deixar espaço para o medo. Essa consciência o afasta dos problemas, permitindo que você os veja sob o meu ponto de vista. Viva perto de mim! Juntos, podemos manter acuados os lobos da preocupação.

Lucas 12:25-26;
1Tessalonicenses 5:16-18

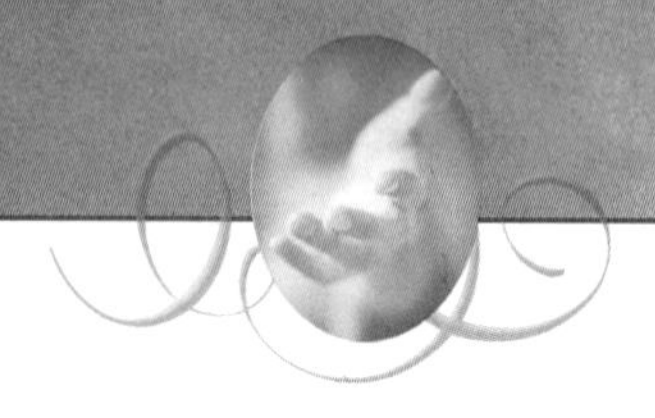

5 de março

TORNE-SE AMIGO DOS SEUS PROBLEMAS. Ainda que muitas coisas pareçam aleatórias ou erradas, lembre-se de que sou soberano. *Posso adequar tudo a um propósito bom*, mas só na mesma medida da sua crença em mim. Todos os problemas podem lhe ensinar algo, transformando-o, aos poucos, na obra-prima que planejei que você fosse. Os mesmos problemas podem se tornar um obstáculo no qual você vai tropeçar e cair se reagir com desconfiança e rebeldia. Essa decisão – se pretende confiar em mim ou me desafiar – é sua, e você terá de tomá-la várias vezes ao longo do dia.

A melhor forma de se tornar amigo de seus problemas é me agradecer pela existência deles. Esse simples gesto abre sua mente para os benefícios que emergem das dificuldades. Você pode até dar apelidos aos problemas mais persistentes, algo que o ajude a conhecê-los, e não os temer. O passo seguinte é apresentá-los a mim, permitindo que os envolva em minha presença. Não vou necessariamente os eliminar, mas minha sabedoria basta para tirar algo de bom de cada um deles.

Romanos 8:28; 1Coríntios 1:23-24

6 de março

CONTINUE NESTE CAMINHO AO MEU LADO, deleitando-se com a minha presença, mesmo na adversidade. Estou sempre à sua frente, assim como ao seu lado. Veja-me acenando: venha! Siga-me. Aquele que segue adiante de você, abrindo o caminho, é o mesmo que permanece por perto e nunca solta sua mão. Não estou sujeito às limitações do tempo e do espaço. Estou em todos os lugares o tempo todo, trabalhando sem parar a seu favor. É por isso que o melhor que você tem a fazer é confiar em mim e viver ao meu lado.

Hebreus 7:25; Salmos 37:3-4

7 de março

DEIXE-ME AJUDÁ-LO AO LONGO DESTE DIA. Os desafios que você encara são grandes demais para que lide com eles sozinho. Você sabe que é impotente diante do emaranhado de eventos que precisa enfrentar. Essa consciência lhe dá a opção da escolha: seguir teimosamente sozinho ou andar ao meu lado, a passos lentos e confiantes. Na verdade, essa escolha se apresenta o tempo todo, mas as dificuldades dão ênfase ao processo da tomada de decisão. *Assim, considere motivo de grande alegria o fato de passar por diversas provações.* Elas são dádivas que lhe dou, para lembrar-lhe de que você deve confiar somente em mim.

Salmos 63:7-8; Tiago 1:2-3

8 de março

GUARDE SUAS ENERGIAS para buscar sempre a minha face. Estou em comunicação constante com você. Para me encontrar e ouvir minha voz, você deve me procurar acima de todas as coisas. O que quer que você adore mais do que a mim se transforma num ídolo. Quando está determinado a seguir a seu modo, você me exclui de sua consciência. Em vez de tentar obstinadamente realizar algum objetivo, converse comigo sobre o assunto. Deixe que a luz da minha presença ilumine essa busca, para que você possa vê-la pela minha perspectiva. Se o seu objetivo se encaixar nos planos que tenho para você, vou lhe ajudar a concretizá-lo. Mas se forem contrários à minha vontade, vou aos poucos mudar o desejo do seu coração. *Procure antes por mim*; depois, as peças de sua vida se encaixarão uma a uma.

1Crônicas 16:11; Mateus 6:33

9 de março

DESCANSE NA MINHA RADIANTE PRESENÇA. O mundo ao seu redor parece girar cada vez mais rápido, transformando tudo num borrão. Mas há um refúgio de tranquilidade no centro da sua vida, e nele você vive em união comigo. Recorra a esse refúgio sempre que puder, pois é nele que você recupera suas energias: alimentando-se do meu amor, da minha alegria e da minha paz.

O mundo é um lugar pobre; não recorra a ele para se sustentar. Venha a mim. Aprenda a depender somente de mim e suas fraquezas ficarão saturadas com meu poder. Quando você encontrar sua completude na minha presença, poderá ajudar outras pessoas sem as usar para satisfazer suas próprias necessidades. Viva na minha luz e a sua luz também brilhará intensamente na vida dos outros.

Gálatas 5:22; 1João 4:12

10 de março

VOCÊ É MEU PARA TODO O SEMPRE – e para além do tempo, eternidade adentro. Nenhum poder é capaz de negar a porção que lhe foi herdada do paraíso. Quero que você perceba que está seguro. Mesmo que você fracasse ao longo da sua jornada, nunca soltarei sua mão.

Saber que seu futuro está garantido pode libertá-lo para viver plenamente o hoje. Eu preparei este dia para você com muita ternura e a máxima atenção aos detalhes. Em vez de encará-lo como uma página em branco que você precisa preencher, tente vivê-lo de forma diferente: olhando em volta, à procura de todas as coisas que estou realizando para você. Isso pode parecer simples, mas requer um nível profundo de fé, baseada na consciência de que *meu caminho é perfeito.*

Salmos 37:23-24; 18:30

11 de março

VIVA PELA FÉ, NÃO PELO QUE VÊ. Quando você caminhar pela fé, eu lhe mostrarei tudo o que posso fazer por você. Se viver sua vida com segurança demais, nunca experimentará a emoção de ver a obra que realizo através de você. Ao lhe dar meu Espírito, dei-lhe também poderes para que você vivesse além de sua capacidade e força normais. Por isso é que é tão errado medir seu nível de energia em comparação com os desafios que tem pela frente. A questão não é a sua força, e sim a minha, que é ilimitada. Ao caminhar ao meu lado, você pode realizar meus objetivos por meio da minha força.

2Coríntios 5:7; Gálatas 5:25

12 de março

AGUARDAR, CONFIAR E TER ESPERANÇA estão intrinsecamente ligados, como elos de ouro entrelaçados para criar uma corrente forte. A confiança é o elo central, porque é o que mais desejo dos meus filhos. A espera e a esperança embelezam esse elo e reforçam a corrente que o liga a mim. Aguardar pela minha obra, com seus olhos fixos em mim, é uma prova de que você realmente acredita em minha presença. Se você verbaliza as palavras "eu confio em ti" enquanto tenta realizar as coisas do seu próprio jeito, sua fala cai no vazio. A esperança é direcionada ao futuro, mas os benefícios dela recaem sobre você no presente.

Como você é meu, não apenas passa o tempo aguardando. Você pode esperar com expectativa e fé. Mantenha sua "antena" ligada para captar até mesmo o mais remoto sinal da minha presença.

João 14:1; Salmos 27:14; Hebreus 6:18-20

13 de março

APRENDA A VIVER ACIMA DE todas as circunstâncias. Para isso, é necessário passar um tempo atento a mim, o Único que governa o mundo. Problemas e sofrimentos são a trama do tecido que forma este mundo. Somente minha vida dentro de você pode lhe dar forças para encarar esse fluxo inesgotável de problemas com alegria.

Quando você se senta em silêncio na minha presença, lanço a paz para dentro da sua mente e do seu coração confusos. Aos poucos, você se liberta das algemas mundanas e se distancia dos problemas. Você passa a ver a vida sob a minha perspectiva, o que lhe permite diferenciar o que é importante do que não é. Descanse na minha presença, *recebendo a alegria que ninguém pode tirar de você.*

João 16:22,33

14 de março

NÃO HESITE EM RECEBER A ALEGRIA DE MIM, porque a concedo com abundância. Quanto mais contar com a minha presença, mais bênçãos fluirão livremente para dentro de você. Sob a luz do meu amor, você é aos poucos *transformado, de glória em glória.* É passando algum tempo ao meu lado que você percebe *quão grande, extenso e profundo é o meu amor por você.*

Às vezes, a amizade que lhe ofereço parece boa demais para ser verdade. Eu derramo minha própria vida dentro de você, e tudo o que você tem de fazer é me aceitar. Num mundo dominado pelo trabalho e pelo esforço, é muito fácil recriminar o descanso e a aceitação. Há uma forte conexão entre aceitar e crer: ao confiar cada vez mais em mim, você se torna capaz de me aceitar e de receber minhas bênçãos plenamente. *Pare de lutar! Saiba que eu sou Deus.*

2Coríntios 3:18; Efésios 3:17-19; Salmos 46:10

15 de março

Ouça a canção de amor que estou o tempo todo cantando para você. Eu *me deleito em você... Levo a alegria até você através da minha música.* As vozes do mundo são uma cacofonia do caos, atraindo-o para um lado e para outro. Não dê ouvidos a essas vozes; enfrente-as com a minha palavra. Aprenda a tirar pequenos intervalos do mundo, encontrando um lugar para ficar em silêncio na minha presença e ouvir minha voz.

Há um imenso tesouro a ser encontrado através da audição das minhas palavras. Eu derramo bênçãos sobre você o tempo todo, mas as mais belas têm de ser buscadas. Adoro me revelar para você. Seu coração ardoroso se abre para aceitar mais da minha revelação. Peça e será dado; busque e encontrará; bata e a porta será aberta.

Sofonias 3:17; Mateus 7:7

16 de março

É BOM QUE VOCÊ RECONHEÇA SUAS FRAQUEZAS. Assim, continuará procurando por mim, que sou sua força. Uma vida de abundância não é necessariamente uma vida de saúde e riqueza, mas uma existência de dependência contínua de mim. Em vez de tentar adequar o dia de hoje a um molde preconcebido, relaxe e procure as coisas que estou realizando. Essa maneira de pensar o deixará livre para descobrir tudo o que planejei para você.

Não se leve tão a sério. Relaxe e ria comigo. Você me tem ao seu lado, então por que se preocupar? Posso lhe dar os recursos para que realize qualquer coisa, desde que ela esteja de acordo com a minha vontade. Quanto mais difícil for o dia, maior será o meu desejo de ajudá-lo. A ansiedade o envolve, prendendo-o em seus próprios pensamentos. Quando você procura por mim e sussurra meu nome, liberta-se e aceita meu auxílio. Fique atento a mim e encontrará a paz na minha presença.

Filipenses 4:13; Provérbios 17:22

17 de março

APROXIME-SE DE MIM PARA COMPREENDER, já que o conheço muito melhor do que você próprio. Eu o entendo em toda a sua complexidade; *nenhum detalhe da sua vida me é oculto.* Eu o vejo com olhos da graça, por isso não tema essa intimidade. Permita que a luz da minha presença curadora ilumine os cantos mais remotos do seu ser – purificando, cicatrizando, revigorando e renovando. Confie em mim o bastante para aceitar o perdão que lhe ofereço continuamente. Esse presente, que me custou a vida, é seu por toda a eternidade. O perdão está no centro da minha presença permanente. *Nunca o deixarei, nunca o abandonarei.*

Quando achar que ninguém o compreende, simplesmente se aproxime de mim. Deleite-se com aquele que o compreende em sua totalidade e o ama com perfeição. Quando o preencho com meu amor, você se torna um reservatório de amor que transborda para a vida das outras pessoas.

Salmos 139:1-4; 2Coríntios 1:21-22;
Josué 1:5

18 de março

CONFIE EM MIM DIARIAMENTE. Assim, você permanecerá perto de mim, sujeito à minha vontade. A fé não é uma reação natural, em especial para aqueles que estão feridos. Meu Espírito dentro de você é seu tutor, que o ajuda nesse desafio sobrenatural. Renda-se ao seu toque leve; sinta seu estímulo.

Demonstre o desejo de confiar em mim em todas as situações. Não deixe que sua necessidade de compreensão o afaste da minha presença. Eu lhe darei todas as condições para que atravesse este dia gloriosamente, desde que você viva em profunda dependência de mim. Não se preocupe com o amanhã, pois ele trará as suas próprias preocupações. Confie em mim, um dia de cada vez.

Salmos 84:12; Mateus 6:34

19 de março

Eu falo com você das profundezas do seu ser. Ouça-me recitando palavras tranquilas de paz, afirmando meu amor. Não dê ouvido às vozes acusadoras, porque elas não vêm de mim. Eu falo num tom amoroso, animando-o. Meu Espírito se expressa claramente, sem palavras ásperas de repreensão. Deixe que ele assuma o controle da sua mente, desfazendo os emaranhados de decepção. Transforme-se pelo fato de saber que vivo dentro de você.

A luz da minha presença está brilhando sobre você, inundando-o de paz. Deixe que essa luz o ilumine. Não a enfraqueça com preocupações ou temores. Santidade é permitir que eu viva através de você. Como me infiltro no seu ser, você tem todas as condições de ser sagrado. Pense antes de reagir às pessoas ou às situações, dando espaço ao meu Espírito para agir dentro de você. Palavras e ações impensadas não deixam espaço para mim: esse é um modo ateu de viver. Quero estar presente em todos os seus momentos – abençoando seus pensamentos, palavras e ações.

Romanos 8:1-2; Colossenses 1:27;
1Coríntios 6:19

20 de março

AGRADEÇA-ME PELA GLORIOSA DÁDIVA do meu Espírito. *Quando você me oferece em sacrifício a sua gratidão*, independentemente dos seus sentimentos, meu Espírito age com mais liberdade dentro de você. Isso gera mais gratidão e mais liberdade, até que sua alma transborde de tantos agradecimentos.

Eu lanço bênçãos sobre você diariamente, mas às vezes você não as percebe. Quando sua mente se apega às coisas negativas, você não me enxerga, assim como não vê minhas dádivas. Agradeça-me com fé por tudo aquilo que o preocupa. Isso eliminará os obstáculos, de modo que você possa me encontrar.

2Coríntios 5:5; 3:17; Salmos 50:14

21 de março

CONFIE EM MIM E NÃO TEMA, porque sou a sua força e o seu cântico. Pense no que significa ter-me como sua força. Eu criei o Universo, meu poder é ilimitado! A fraqueza humana, consagrada a mim, é como um ímã que aproxima meu poder das suas necessidades. Mas o medo pode bloquear o fluxo dessa força dentro de você. Em vez de tentar enfrentar seus medos, concentre-se em confiar em mim. Quando você se relaciona comigo com fé verdadeira, não há limites para a força que posso lhe dar.

Lembre-se de que também sou seu cântico. Quero que você compartilhe da minha alegria, vivendo consciente da minha presença. Deleite-se enquanto caminhamos juntos rumo aos céus; una-se a mim cantando a minha canção.

Isaías 12:2-3; Salmos 21:6

22 de março

DELEITE-SE E AGRADEÇA! Ao caminhar ao meu lado ao longo deste dia, pratique a fé e me agradeça durante todo o percurso. A confiança é o canal através do qual minha paz flui para dentro de você. A gratidão o eleva acima dos seus problemas. Realizo minhas maiores obras por meio de pessoas com corações gratos e confiantes. Em vez de planejar e analisar, tenha fé e seja grato. Esta é uma mudança que será revolucionária em sua vida.

Filipenses 4:4; Salmos 95:1-2; 9:10

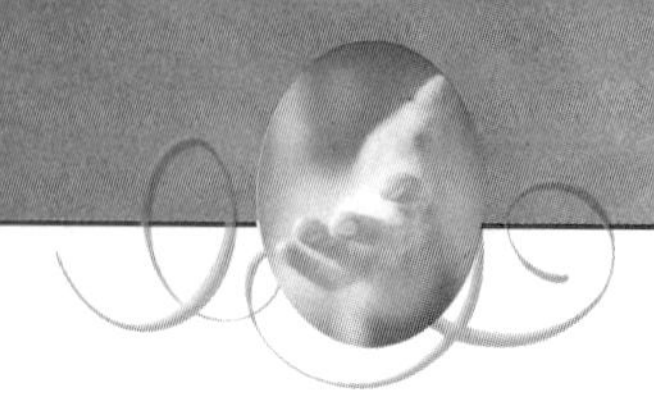

23 de março

Eu sou seu Deus nos bons e nos maus momentos. Quando você entrega os detalhes da sua vida a mim, surpreende-se pelo modo como atendo a todos os seus pedidos. Tenho prazer em ouvir suas preces, por isso, sinta-se livre para trazer-me seus pedidos. Quanto mais você ora, mais respostas pode receber. E o melhor de tudo é que a sua fé é reforçada à medida que você percebe com exatidão como respondo às suas orações específicas.

Como sou infinito, você não precisa ter medo de que eu esgote meus recursos. A *abundância* é a essência do que sou. Aproxime-se de mim com alegria e com a expectativa de receber tudo aquilo de que precisa – e às vezes muito mais! Eu me alegro em lançar bênçãos sobre meus amados filhos. Aproxime-se de mim com as mãos e o coração abertos, preparado a aceitar tudo o que tenho para você.

Salmos 36:7-9; 132:15; João 6:12-13

24 de março

NESTE MOMENTO DA SUA VIDA, você deve aprender a abrir mão dos seus bens e do controle. Para dispensar algo que é importante para você, conte com a minha presença, que o completa. Reserve algum tempo para se banhar na luz do meu amor. Quando começar a relaxar, sua mão fechada aos poucos se abrirá, entregando seus adorados bens aos meus cuidados.

Você pode se sentir seguro, mesmo em meio a terríveis mudanças, tendo consciência de que estou o tempo todo ao seu lado. Aquele que nunca o abandona é o mesmo que nunca muda: *sou o mesmo ontem, hoje e para sempre*. À medida que você for deixando as suas coisas aos meus cuidados, lembre-se de que nunca solto sua mão. É nessa certeza que reside a sua segurança, que nada nem ninguém pode tirar de você.

Salmos 89:15; Hebreus 13:8;
Isaías 41:13

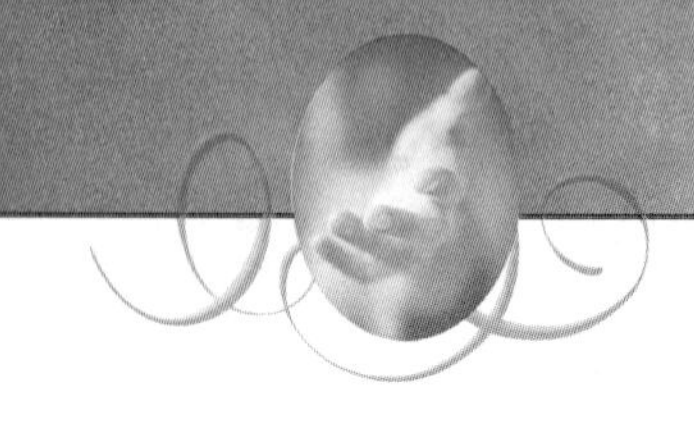

25 de março

PERMITA QUE A GRATIDÃO permeie todos os seus pensamentos. Uma mente grata o mantém em contato comigo. Não gosto quando meus filhos se queixam, desprezando minha soberania. A gratidão é um porto seguro contra esse pecado mortal. Além disso, um comportamento grato se transforma numa tela pela qual você vê a vida. Ao agradecer, você vê a luz da minha presença iluminando todas as situações. Cultive um coração grato, porque isso me glorifica e me enche de alegria.

1Coríntios 10:10; Hebreus 12:28-29

26 de março

ESPERAR-ME SIGNIFICA DIRECIONAR sua atenção a mim, antecipando com esperança tudo o que realizarei. Assim, você imprime sua crença em cada parte do seu ser e para de tentar entender as coisas por si próprio. Planejei que você vivesse esperando por mim o dia todo, todos os dias. Eu o criei para permanecer ciente de minha existência enquanto realiza suas tarefas cotidianas.

Prometi muitas bênçãos àqueles que esperam por mim: *força renovada*, uma vida vivida acima das circunstâncias, esperança revigorada, a consciência da minha presença eterna. À minha espera, você pode glorificar-me vivendo em minha dependência, preparado para realizar minha vontade. Isso também o ajuda a se deleitar em mim; *na minha presença está a alegria plena*.

Lamentações 3:24-26;
Isaías 40:31; Salmos 16:11

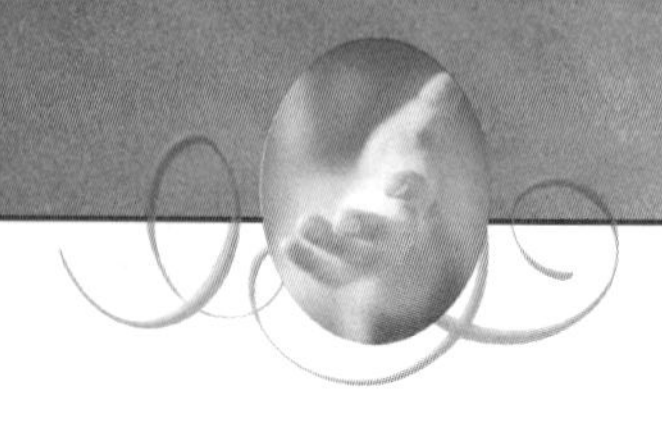

27 de março

FIQUE IMÓVEL NA MINHA PRESENÇA, mesmo que várias tarefas exijam sua atenção. Nada é mais importante do que passar algum tempo ao meu lado. Enquanto você espera na minha presença, realizo minha melhor obra: *transformo-o pela renovação da sua mente.* Se você abdicar desse tempo comigo, é provável que se lance em atividades erradas, ignorando a riqueza de tudo o que planejei para você.

Não me busque apenas pelas coisas que posso lhe dar. Lembre-se de que sou infinitamente maior do que qualquer dádiva que possa lhe conceder. Ainda que me deleite ao abençoar meus filhos, fico muito triste quando minhas bênçãos se tornam ídolos em seu coração. Qualquer coisa pode virar um ídolo se o afastar de mim e se tornar seu *primeiro amor.* Se sou seu principal desejo, você está a salvo do perigo da idolatria. Ao esperar na minha presença, aproveite a maior de todas as dádivas: *o Cristo em você, a esperança da glória!*

Romanos 12:2; Apocalipse 2:4; Colossenses 1:27

28 de março

SOU UM DEUS QUE DÁ, DÁ E DÁ. Ao morrer por você na cruz, não poupei nada; derramei minha vida *como bebida que se oferece*. Como a generosidade é inerente à minha natureza, procuro pessoas que sejam capazes de aceitá-la em toda a sua plenitude. Para aumentar sua intimidade comigo, as duas coisas de que você mais precisa são receptividade e atenção. Receptividade significa abrir-se por inteiro, a fim de ser preenchido pelas minhas abundantes riquezas. Atenção significa direcionar seu olhar para mim, buscar-me em todos os momentos. É possível, sim, *fixar sua mente em mim*, como escreveu o profeta Isaías. Por meio dessa atenção você recebe uma dádiva gloriosa: minha paz perfeita.

Filipenses 2:17; Marcos 10:15; Isaías 26:3

29 de março

PARE DE TENTAR FAZER AS COISAS acontecerem antes da hora. Aceite as limitações de viver um dia de cada vez. Quando algo lhe chamar a atenção, pergunte-me se isso faz ou não parte da agenda de hoje. Se não, deixe-o sob meus cuidados e leve adiante suas tarefas cotidianas. Com essa prática, você terá uma vida de simplicidade: *um tempo para todas as coisas e cada coisa a seu tempo.*

Uma vida ao meu lado não é complicada nem confusa. Quando você se concentra na minha presença, muitas das coisas que antes o incomodavam perdem o poder que exerciam sobre você. Ainda que tudo ao seu redor seja desorganizado e confuso, lembre-se de que *eu venci o mundo. Eu lhe disse tais coisas para que, em mim, você tenha paz.*

Eclesiastes 3:1; João 16:33

30 de março

ESTOU CUIDANDO DE VOCÊ. Confie em mim o tempo todo e em todas as circunstâncias. *Confie em mim de todo o seu coração.* Se você se sentir cansado e tudo parecer estar dando errado, ainda assim pode sussurrar estas cinco palavras: "Eu confio em ti, Jesus". Ao fazer isso, você entrega os problemas ao meu controle e descansa na segurança dos *meus braços eternos.*

Antes que você se levante da cama pela manhã, já organizei todos os acontecimentos do seu dia. Cada dia lhe oferece várias oportunidades de aprender como eu atuo e de se aproximar de mim. Os sinais da minha presença iluminam até o mais sombrio dos dias, desde que você tenha olhos capazes de me enxergar. Procure por mim como se eu fosse um tesouro oculto. Eu *me deixarei ser encontrado por você.*

Provérbios 3:5; Deuteronômio 33:27; Jeremias 29:13-14

31 de março

EXPERIMENTE E VEJA COMO SOU BOM. Quanto mais íntima for sua convivência comigo, mais convencido da minha bondade você ficará. Eu sou *o Deus que o vê* e anseia por fazer parte da sua vida. Eu o estou educando para que você me encontre em todos os momentos e seja um canal da minha presença. Às vezes minhas bênçãos aparecem para você de formas misteriosas: por meio do sofrimento e dos problemas. Nessas situações, você só pode conhecer minha bondade por meio da fé. A compreensão lhe escapará, mas a fé o manterá perto de mim.

Agradeça-me pela dádiva da minha paz, um presente tão grande que você não é capaz de compreender sua profundidade ou grandiosidade. Quando apareci para meus apóstolos depois da ressurreição, a paz foi o que lhes transmiti primeiro. Eu sabia que era disso que eles mais precisavam para acalmar seus nervos e limpar sua mente. Assim, também transmito-lhe essa mesma paz, porque conheço seus pensamentos ansiosos. Ouça-me! Ignore outras vozes, de modo que possa me escutar com mais clareza. Eu o criei para viver na paz o dia inteiro, todos os dias. Aproxime-se de mim; receba a minha paz.

Salmos 34:8; Gênesis 16:13-14;
João 20:19; Colossenses 3:15

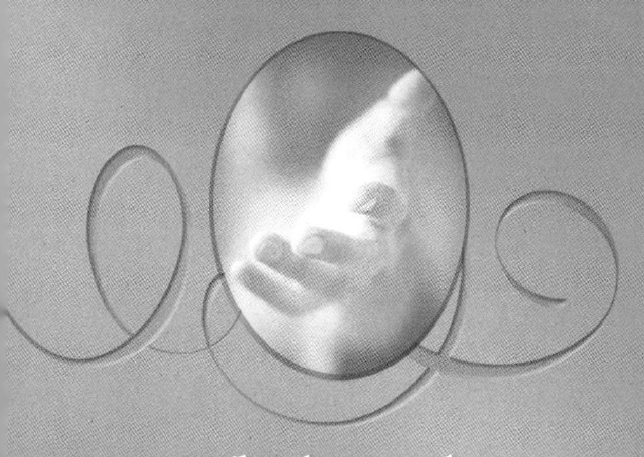

Abril

"Reconheça o Senhor em todos os seus caminhos, e ele endireitará as suas veredas."

Provérbios 3:6

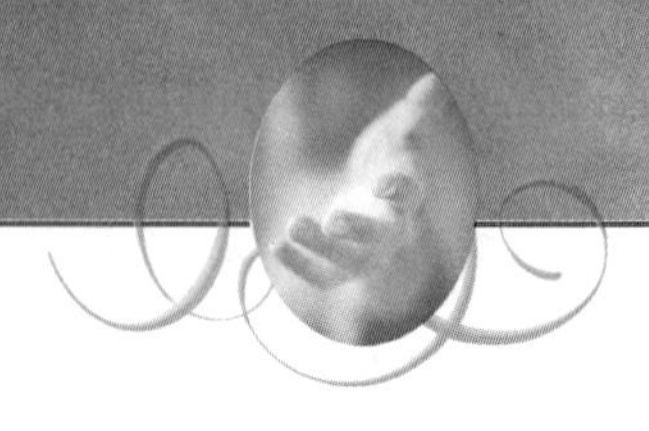

1º de abril

EU O ESTOU CONVOCANDO para uma vida em comunhão comigo. Isso inclui aprender a viver acima dos problemas. Você anseia por uma existência mais simples, para que sua comunicação comigo seja ininterrupta. Mas o desafio a recusar a fantasia de um mundo perfeito. Aceite cada dia como ele é e me encontre em meio a tudo isso.

Converse comigo sobre todos os aspectos do seu dia, incluindo seus sentimentos. Lembre-se de que seu objetivo não deve ser controlar nem consertar tudo ao seu redor, e sim se manter em comunicação comigo. Um dia bem-sucedido é aquele em que permanecemos em contato, mesmo que muita coisa fique por fazer. Não deixe que sua lista de tarefas se transforme num ídolo que governa sua vida. Peça ao meu Espírito que o guie momento a momento. Ele o manterá perto de mim.

1 Tessalonicenses 5:17; Provérbios 3:6

2 de abril

EU PROMETI SUPRIR todas as suas necessidades, de acordo com as minhas gloriosas riquezas. Sua necessidade mais profunda e constante é a minha paz. Plantei-a no jardim do seu coração, onde vivo, mas há algumas ervas daninhas crescendo lá: orgulho, preocupações, egoísmo, descrença. Eu sou o jardineiro e estou trabalhando para tirar essas pragas do seu coração. Realizo minha obra de várias maneiras. Quando você se senta em silêncio ao meu lado, lanço a luz da minha presença diretamente para dentro de você. Banhada por essa luz celestial, a paz cresce em abundância e as ervas daninhas desaparecem. Eu envio provações para a sua vida e, quando você confia em mim em meio aos problemas, a paz floresce e as pragas morrem. Agradeça-me pelas situações complicadas; a paz que elas podem gerar é *muito maior* do que as provações que você enfrenta.

Filipenses 4:19; 2Coríntios 4:17

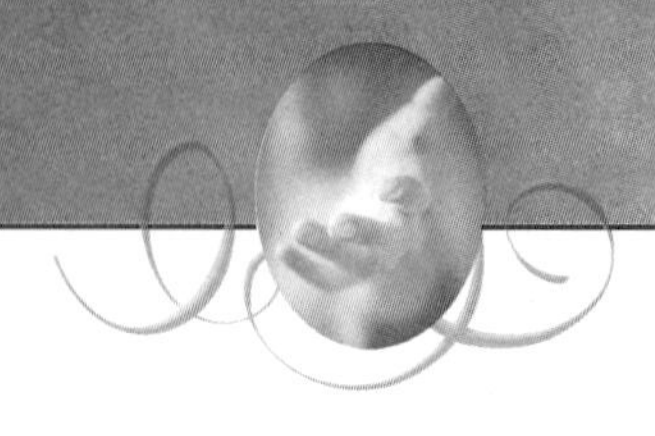

3 de abril

EM MIM VOCÊ TEM TUDO. Em mim você é completo. Sua capacidade de experimentar a minha companhia aumenta à medida que removo os obstáculos e a confusão do seu coração. Com o aumento de sua ânsia por mim, os outros desejos aos poucos perdem força. Como sou infinito e acessível, desejar-me acima de todas as coisas é a melhor forma de viver.

É impossível que você tenha alguma necessidade que eu não possa saciar. Afinal, criei você e tudo o que existe. O mundo continua à minha disposição, ainda que às vezes pareça o contrário. Não se deixe enganar pelas aparências. Aquilo que se vê é transitório, mas o que não se vê é eterno.

Efésios 3:20; 2Coríntios 4:18

4 de abril

EU O ENCONTRO NA TRANQUILIDADE da sua alma. É lá que busco entrar em comunhão com você. Uma pessoa que esteja aberta à minha presença é extraordinariamente preciosa para mim. Meus *olhos estão atentos sobre toda a Terra* à procura daquele cujo coração me deseja. Eu o vejo tentando encontrar-me; nossa busca em sincronia resulta num encontro jubiloso.

Uma alma tranquila é algo cada vez mais raro neste mundo viciado em velocidade e em barulho. Agrada-me o seu desejo de criar um lugar silencioso onde possamos nos encontrar. Não desanime diante das dificuldades de alcançar esse objetivo. Eu acompanho todos os seus esforços e abençoo cada uma de suas tentativas de procurar pelo meu rosto.

Zacarias 2:13; Crônicas 16:9; Salmos 23:2-3

5 de abril

DEIXE-ME INUNDÁ-LO COM MEU AMOR, minha alegria e minha paz. Ainda que você esteja num *invólucro terreno*, criei-o para ser preenchido por conteúdos celestiais. Sua fraqueza não o impede de ser tomado pelo meu Espírito; pelo contrário, ela cria uma oportunidade para que meu poder brilhe com mais intensidade.

Enquanto atravessa este dia, acredite que lhe darei a força de que você precisa a cada momento. Não desperdice energia se perguntando se está preparado para a jornada de hoje. Meu Espírito que vive dentro de você é forte o bastante para ajudá-lo a lidar com o que quer que aconteça. Esta é a base da sua fé! *Na quietude* (passando um tempo sozinho ao meu lado) *e na confiança* (crendo que sou suficiente) é que está *o seu vigor.*

2Coríntios 4:7; Isaías 30:15

6 de abril

OFEREÇA-ME O SACRIFÍCIO DA GRATIDÃO. Não deixe de agradecer nem mesmo o nascer do sol. Antes de Satã tentar Eva no Jardim do Éden, a gratidão era algo tão natural quanto respirar. Satã ofereceu à Eva a única coisa que lhe era proibida. O Jardim estava cheio de frutas exuberantes e desejáveis, mas Eva quis aquela única fruta que não podia ter em vez de ser grata por todas as outras maravilhas disponíveis. Esse foco negativo obscureceu sua mente e a fez sucumbir à tentação.

Quando você mantém o foco no que não possui ou em situações que o desagradam, sua mente também obscurece. Você ignora o valor da vida, da salvação, do sol, das flores e de várias outras dádivas que lhe dou. Olha para o que está errado e se recusa a aproveitar a vida até que tudo esteja "certo".

Quando se aproxima de mim com gratidão, a luz da minha presença se derrama sobre você, transformando-o por completo. *Caminhe na luz* ao meu lado praticando o hábito de ser grato.

Salmos 116:17; Gênesis 3:2-6;
1João 1:7

7 de abril

Eu sou o oleiro; você é meu barro. *Eu* o projetei antes mesmo de criar o mundo. Organizei todos os acontecimentos de cada dia para moldá-lo dessa forma preconcebida. Meu amor eterno está presente em cada evento da sua vida. Em alguns dias, a sua vontade e a minha caminham juntas. Você tende a se sentir no controle quando nossos desejos estão em harmonia. Em outros dias, sente-se como se estivesse nadando contra a correnteza dos meus objetivos. Quando isso acontecer, pare e *busque a minha face.* A força contrária que você sente pode ser a minha – mas talvez seja a do mal.

Converse comigo sobre o que está vivendo. Deixe que o meu Espírito o guie em meio às águas traiçoeiras. Quando atravessar um rio turbulento ao meu lado, deixe que as circunstâncias o transformem na pessoa que desejo que você seja. Diga "sim" para o seu oleiro ao avançar por este dia.

Isaías 64:8; Salmos 27:8

8 de abril

ESTOU COM VOCÊ E CUIDAREI DE VOCÊ, sou seu companheiro e provedor. A questão é se *você* está comigo. Ainda que eu nunca o abandone, você pode me "abandonar" simplesmente me ignorando: pensando ou agindo como se eu não estivesse ao seu lado. Quando você se sentir distante em nosso relacionamento, reconhecerá o problema. Meu amor por você é constante; *sou o mesmo ontem, hoje e para sempre*. É você que muda como a areia instável, deixando que as circunstâncias o joguem para um lado e para outro.

Quando se sentir distante de mim, sussurre meu nome. Esse gesto simples abre seu coração para a minha presença. Fale comigo num tom amoroso; prepare-se para receber meu amor, que flui eternamente da cruz. Eu me deleito quando você se abre para mim.

Gênesis 28:15; Romanos 8:31; Hebreus 13:8

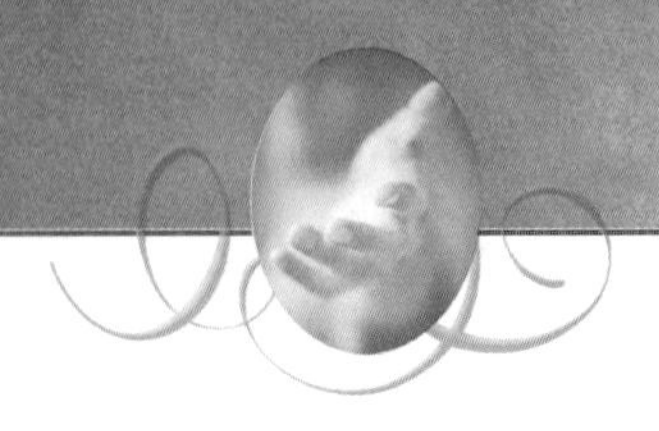

9 de abril

VOCÊ É MEU PARA TODO O SEMPRE; nada será capaz de separá-lo do meu amor. Como investi minha própria vida em você, tenha certeza de que o manterei sob meus cuidados. Quando sua mente se solta e seus pensamentos fluem livremente, você tende a se sentir ansioso e sozinho. Sua atenção se volta para a solução dos problemas. Para recobrar o controle da sua mente, basta olhar para mim, entregando-se e colocando suas aflições em minhas mãos.

Muitos problemas desaparecem instantaneamente na luz do meu amor, porque você percebe que nunca está sozinho. Outros até podem persistir, mas ficam em segundo plano se você aproveitar a relação que lhe ofereço. A todo instante você pode escolher entre focar a minha presença e focar a presença dos problemas.

Romanos 8:38-39; Êxodo 33:14

10 de abril

CONFIE EM MIM em cada detalhe da sua vida. Nada acontece por acaso no meu reino. *Tudo o que ocorre se adequa a um padrão de bondade para aqueles que me amam.* Em vez de tentar analisar a complexidade desse padrão, direcione sua energia para ter fé em mim e me agradecer. Nada é desperdiçado quando você caminha ao meu lado. Até mesmo seus erros e pecados podem se transformar em algo bom por meio da minha graça transformadora.

Quando você ainda vivia na escuridão, comecei a lançar a luz da minha presença em sua vida manchada pelo pecado. Por fim, eu o *tirei da lama e o coloquei dentro da minha maravilhosa luz, num local seguro.* Sacrifiquei minha própria vida por você, portanto, pode confiar em mim em cada aspecto da sua vida.

Jeremias 17:7; Romanos 8:28;
Salmos 40:2; 1Pedro 2:9

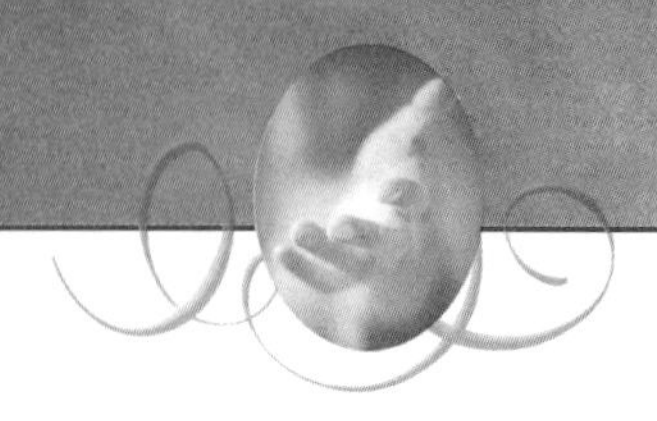

11 de abril

ESTE É O DIA QUE EU CRIEI. *Alegre-se e contente-se com ele.* Comece o dia com as mãos abertas em um gesto de fé, pronto para receber tudo o que estou lhe concedendo. Não reclame de nada, pois eu sou o autor de todas as circunstâncias. A melhor forma de lidar com situações indesejadas é agradecer-me por elas. Essa demonstração de fé o liberta do ressentimento e me deixa trabalhar, de modo que o bem emerja de cada situação.

Para encontrar a alegria neste dia, você deve viver dentro dos limites que estabeleci. Eu sabia o que estava fazendo quando dividi o dia em 24 horas. Entendo a fragilidade humana e sei que você só pode suportar o peso de um dia por vez. Não se preocupe com o amanhã nem se prenda ao passado. Há vida em abundância na minha presença hoje.

Salmos 118:24; Filipenses 3:13-14

12 de abril

CONFIAR EM MIM É uma escolha que deve ser feita a todo instante. Meu povo nem sempre entendeu essa verdade. Depois que eu realizava milagres no deserto, meus filhos escolhidos confiavam intensamente em mim – mas apenas durante certo tempo. Logo as reclamações recomeçavam, testando minha paciência ao máximo.

Não é o que costuma acontecer com você? Você confia em mim quando as coisas vão bem, quando me vê agindo a seu favor. Esse tipo de fé flui facilmente dentro de você, sem necessitar de nenhum esforço da sua parte. Quando as coisas vão mal, no entanto, seu fluxo de fé diminui e se solidifica. Você é obrigado a decidir entre confiar em mim ou se rebelar, ressentindo-se da maneira como o trato. Essa escolha é a bifurcação na estrada. Continue no caminho da vida ao meu lado, aproveitando a minha presença. Opte por confiar em mim em todas as circunstâncias.

Êxodo 15:22-25; Salmos 31:14

13 de abril

QUANDO EU NÃO LHE DER UMA DIREÇÃO específica, permaneça onde está. Concentre-se em realizar suas tarefas cotidianas, consciente de que estou ao seu lado. Quando você faz tudo em meu nome, a alegria da minha presença brilha sobre sua vida. Colaborando comigo em todas as coisas, você permite que minha vida se misture à sua. Esse é o segredo de uma existência prazerosa e vitoriosa. Eu o criei para depender de mim em todos os momentos, entendendo que, *sem mim, você não pode fazer coisa alguma.*

Agradeça pelos dias tranquilos, quando nada de especial parece acontecer. Em vez de se entediar pela falta de atividade, use o tempo disponível para buscar minha face. Embora esta seja uma atitude impalpável, ela é muito importante no reino espiritual. Além disso, você é muito mais abençoado quando caminha confiantemente ao meu lado durante os afazeres do dia.

Colossenses 3:23;
João 15:5; Salmos 105:4

14 de abril

O PARAÍSO É AO MESMO TEMPO o presente e o futuro. Ao caminhar por essa estrada da vida segurando minha mão, você já está em contato com a essência do paraíso: a proximidade de mim. Você também pode encontrar vários sinais do paraíso ao longo da sua jornada, porque a Terra está radiantemente cheia da minha presença. A luz do sol desperta seu coração, lembrando-o cuidadosamente da minha luz. Aves e flores, árvores e céus evocam louvores ao meu santo nome. Mantenha seus olhos e ouvidos totalmente abertos enquanto caminha ao meu lado.

Ao fim da sua estrada está a entrada do paraíso. Somente eu sei quando você chegará a esse destino, mas estou preparando-o a cada passo do caminho. A certeza da morada celestial lhe traz paz e alegria, que vão ajudá-lo ao longo da jornada. Você sabe que voltará ao seu lar no momento perfeito: nem antes da hora nem tarde demais. Que a esperança do paraíso lhe dê coragem à medida que caminha pela estrada da vida ao meu lado.

1Coríntios 15:20-23; Hebreus 6:19

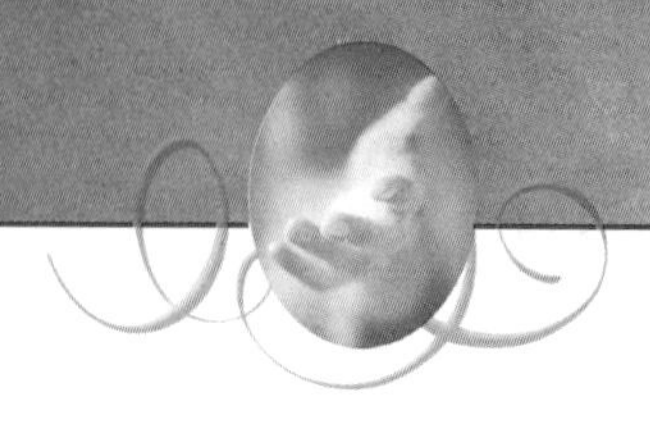

15 de abril

CONFIE EM MIM E NÃO TEMA. Muitas coisas parecem fora de controle. Seus dias não estão se passando tranquilamente. Você se sente mais seguro quando sua vida é previsível. Deixe-me guiá-lo em segurança até *a rocha que é mais alta do que você* e seus problemas. *Encontre refúgio sob as minhas asas*, onde estará completamente seguro.

Quando você se vir expulso do seu cotidiano confortável, segure minha mão com força e procure as oportunidades de amadurecimento. Em vez de lamentar a perda da segurança, aceite o desafio de encarar algo novo. Eu *o guio de glória em glória*, adequando-o ao meu reino. Diga "sim" para a maneira como atuo em sua vida. Confie em mim e não tema.

Isaías 12:2; Salmos 61:2-4;
2Coríntios 3:18

16 de abril

ESTOU CHAMANDO-O para uma vida de gratidão. Quero que todos os seus momentos sejam pontuados por ação de graças. A base para essa gratidão é a minha soberania. Eu sou o Criador e controlador do Universo. *O céu e a Terra estão cheios da minha glória.*

Quando você faz uma crítica ou reclama, está agindo como se pudesse administrar o mundo melhor do que eu. Do seu ponto de vista humano limitado, talvez pareça que estou perdendo o controle das coisas. Mas você não sabe o que eu sei nem vê o que eu vejo. Se eu abrisse uma cortina que lhe permitisse enxergar os reinos celestiais, você entenderia muito mais. Mas o criei para *viver pela fé, não pelo que se vê. Eu* o protejo amorosamente da adivinhação do futuro e o impeço de ver o mundo espiritual. Reconheça minha soberania *agradecendo em todas as circunstâncias.*

Isaías 6:3; 2Coríntios 5:7;
1Tessalonicenses 5:18

17 de abril

EU O ESTOU TREINANDO NA PACIÊNCIA. Muitas coisas interrompem sua consciência na minha presença. Sei que você vive num mundo de imagens e sons, mas não pode ser escravo desses estímulos. Você é capaz de continuar consciente de mim em todas as circunstâncias, não importa o que aconteça. Essa é a paz que lhe desejo.

Não deixe que eventos inesperados o tirem do caminho. Reaja com calma e confiança, porque estou sempre com você. Quando algo chamar sua atenção, fale comigo. Assim, poderei compartilhar suas alegrias e seus problemas. Eu o ajudo a suportar qualquer coisa. É desse modo que vivo em você e opero através de seu corpo. Este é o caminho da paz.

Salmos 112:7; Isaías 41:10

18 de abril

A PAZ É MINHA DÁDIVA CONTÍNUA PARA VOCÊ. Ela flui abundantemente do meu trono. Assim como os israelitas não podiam armazenar o maná para o futuro e precisavam colhê-lo diariamente, o mesmo acontece com a minha paz. A colheita cotidiana do maná mantinha meu povo ciente de sua dependência em mim. Do mesmo modo, dou-lhe paz suficiente para o dia de hoje, quando você se aproxima de mim *pela oração e pelas súplicas, com gratidão*. Se eu lhe concedesse a paz permanente, independente da minha presença, você poderia cair na armadilha da autossuficiência. Que isso jamais aconteça!

Eu o criei para precisar de mim o tempo todo. À medida que a consciência de suas necessidades aumenta, também aumenta sua percepção de que meu suprimento é abundante. *Posso suprir todas as suas necessidades* sem exaurir suas gloriosas riquezas. *Aproxime-se do meu trono da graça com toda a confiança*, recebendo minha paz com o coração cheio de gratidão.

Êxodo 16:14-20; Filipenses 4:6-7,19; Hebreus 4:16

19 de abril

EU O AMO SEM LEVAR EM CONSIDERAÇÃO seu comportamento. Às vezes você se sente incomodado, perguntando-se se está fazendo o bastante para ser digno do meu amor. Não importa quão exemplar sejam suas atitudes, a resposta a essa questão será sempre "não". Seus gestos e meu amor são coisas completamente diferentes, que você precisa saber distinguir. Eu *o amo com um amor eterno*, que flui constantemente, sem limites ou condições. Eu *o vesti com as vestes da salvação*, e essa é uma troca que nada nem ninguém pode reverter. Assim, suas realizações como cristão não são nada se comparadas ao meu amor por você. Até mesmo sua habilidade de avaliar sua performance é equivocada. As limitações do seu ponto de vista humano e as condições do seu corpo físico distorcem suas avaliações.

Traga a mim sua ansiedade de me agradar e receba, no lugar dela, *meu amor inequívoco*. Tente permanecer consciente da minha presença em tudo o que você fizer, e guiarei seus passos.

Jeremias 31:3; Isaías 61:10;
Salmos 31:16; 107:8

20 de abril

NÃO TENHA MEDO, PORQUE ESTOU COM VOCÊ. Ouça-me dizendo *Acalme-se, aquiete-se* para seu coração impaciente. Não importa o que aconteça, *nunca o deixarei, nunca o abandonarei.* Permita que essa segurança se infiltre em sua mente e em seu coração até você transbordar de alegria. *Ainda que a terra trema e os montes afundem no coração do mar,* você não precisa temer!

A imprensa veicula más notícias no café da manhã, no almoço e no jantar. Uma dieta regular dessas notícias o deixará doente. Em vez de prestar atenção às reportagens efêmeras, mude para o canal da palavra viva – *a única que é sempre a mesma.* Deixe que as Escrituras penetrem em sua mente e em seu coração e você andará sem hesitar pela estrada da vida. Mesmo que não saiba o que acontecerá amanhã, pode ter certeza absoluta do seu destino final. Pois *eu o seguro pela mão direita* e, depois, conduzo-o à glória.

Marcos 4:39; Deuteronômio 31:6;
Salmos 46:2; 73:23-24

21 de abril

DEIXE-ME CONTROLAR SUA MENTE, que é a parte mais inquieta e incontrolável da humanidade. Muito depois de você ter aprendido a disciplinar e conter sua língua, seus pensamentos ainda desafiam sua vontade e se colocam contra mim. O homem é o ponto alto da minha criação e a mente humana é maravilhosamente complexa. Eu arrisquei tudo ao lhe dar a liberdade de pensar por si próprio. Esse é um privilégio divino que para sempre o distinguirá dos animais e dos robôs. Eu *o fiz à minha imagem*, perigosamente parecido com a divindade.

Ainda que meu sangue já o tenha redimido, sua mente é o último foco de resistência. Abra-se para a minha presença, deixando que a minha luz permeie seus pensamentos. Quando meu Espírito estiver controlando a sua mente, você estará preenchido pela vida e pela paz.

Gênesis 1:26-27; Romanos 8:6

22 de abril

OUÇA-ME CONTINUAMENTE, porque tenho muito a lhe dizer. Estou treinando-o para sintonizar sua mente em mim cada vez mais, de modo que possa ignorar as distrações com a ajuda do meu Espírito.

Caminhe ao meu lado com fé, respeitando minhas iniciativas e evitando tentar encaixar as coisas nos seus planos. Morri para torná-lo livre, inclusive da compulsão pelo planejamento. Quando sua mente está lutando com pensamentos confusos, você não consegue ouvir minha voz. Uma mente preocupada com planos em excesso idolatra o deus do controle. Traga sua idolatria de volta a mim. Ouça-me e viva abundantemente!

João 8:36; Provérbios 19:21; João 10:27

23 de abril

MANTENHA SEUS OLHOS EM MIM não apènas à procura de uma direção, mas também em busca de força. Eu nunca o guio para algo sem lhe dar as condições necessárias de enfrentar a jornada. Por isso é tão importante procurar a minha vontade em tudo o que você faz.

Para descobrir qual é a minha vontade, você deve passar um tempo ao meu lado, aproveitando a minha presença. Essa não é uma tarefa árdua, e sim um privilégio delicioso. Eu lhe mostrarei *o caminho da vida; na minha presença está a alegria plena; à minha direita há prazer eterno.*

Salmos 141:8; 16:11

24 de abril

DESCANSE NA TRANQUILIDADE da minha presença enquanto o preparo para este dia. Deixe que o brilho da minha glória o ilumine enquanto você aguarda, confiante, por mim. *Pare de lutar! Saiba que eu sou Deus.* Há um lado passivo e um lado ativo no ato de confiar em mim. Enquanto você descansa na minha presença, eu, em silêncio, construo elos de confiança entre nós. Mas, quando você reage às circunstâncias com uma afirmação de fé, participa ativamente desse processo.

Estou sempre com você, por isso não há motivos para temer. Seu medo em geral se manifesta pelo planejamento excessivo. Sua mente está tão acostumada a esse comportamento que só agora você percebe quão nocivo ele é e como isso atrapalha sua intimidade comigo. Sempre que perceber que está pegando esse caminho torto, arrependa-se e resista à tentação. Volte-se para a minha presença, que sempre o aguarda no presente. Eu o aceitarei *sem condená-lo.*

Salmos 46:10; Romanos 8:1

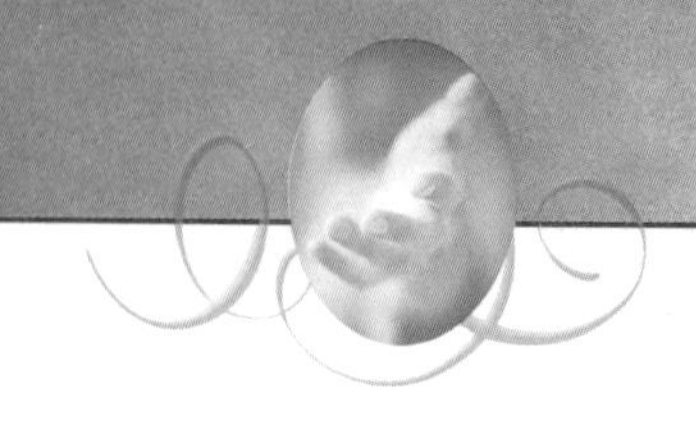

25 de abril

FAÇA DE MIM SEU FOCO NESTE DIA. Assim como uma bailarina tem de fixar o olhar em determinado ponto para manter o equilíbrio, você também deve voltar sua atenção a mim. As circunstâncias se sucedem e o mundo parece girar ao seu redor. A única maneira de manter seu equilíbrio é *fixar seus olhos em mim*. Se você olhar durante muito tempo para os problemas, vai ficar tonto e confuso. Olhe para mim, recupere-se na minha presença e seus passos serão firmes e seguros.

Hebreus 12:2; Salmos 102:27

26 de abril

ENCARE OS PROBLEMAS como um meio de ver as coisas de uma perspectiva diferente. Meus filhos tendem a viver como sonâmbulos até que se deparem com um obstáculo que os detenha. Se você se depara com um problema sem uma solução imediata, sua reação pode ser boa ou ruim. Você pode fugir da dificuldade, magoado e com pena de si mesmo, ou pode encará-la como uma escada que o permite subir e ver sua vida do meu ponto de vista. Aqui do alto, o obstáculo que o frustrou parecerá apenas *um sofrimento leve e momentâneo.* Depois de mudar de perspectiva, você será capaz de ignorar o problema. Volte-se para mim e veja *a luz da minha presença* brilhando sobre você.

2Coríntios 4:16-18; Salmos 89:15

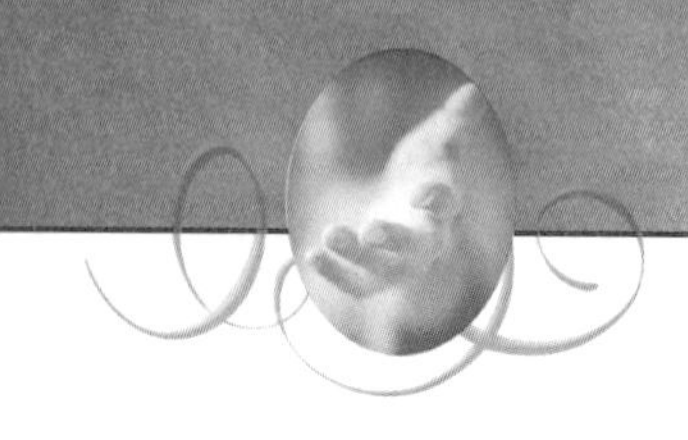

27 de abril

VENHA A MIM com as mãos vazias e o coração aberto, preparado para receber bênçãos em abundância. Eu sei quão profunda e extensa é a sua necessidade. Sua jornada pela estrada da vida está difícil, sugando suas forças. Aproxime-se de mim para se alimentar. Deixe-me abastecê-lo com minha presença: *eu em você e você em mim.*

Meu poder flui com mais liberdade para os fracos que reconhecem que precisam de mim. Passos hesitantes de dependência não significam falta de fé; eles são apenas elos para a minha presença.

João 17:20-23; Isaías 40:29-31

28 de abril

QUANDO VOCÊ OLHA para o dia que se anuncia, vê muitas escolhas pelo caminho. As várias possibilidades podem confundi-lo. Volte sua mente para o umbral de hoje, quando estou ao seu lado, preparando-o com amor para o que está por vir.

Você precisa fazer uma escolha por vez, já que cada uma depende da que a precede. Em vez de tentar criar um mapa mental do seu caminho ao longo do dia, atente-se à minha presença. Eu lhe darei todas as condições para prosseguir passo a passo, de modo que você seja capaz de lidar com o que quer que surja à sua frente. Confie em mim para lhe dar o que você precisa, quando precisar.

Lamentações 3:22-26; Salmos 34:8

29 de abril

DEIXE-ME ENSINAR-LHE A GRATIDÃO. Comece reconhecendo que tudo – todas as suas posses e tudo o que você é – pertence a mim. O nascer de cada novo dia é uma dádiva minha. A Terra é incrivelmente cheia de vida por causa das bênçãos que ofereço, um testemunho da minha presença. Se você diminuir seu ritmo, pode me encontrar em qualquer lugar.

Alguns dos meus filhos mais queridos estiveram deitados em leitos de enfermos ou trancafiados em prisões. Outros aprenderam voluntariamente a se disciplinar e passar algum tempo a sós comigo. O segredo para ser grato é ver todas as coisas sob meu ponto de vista. *Meu mundo é sua sala de aula. Meu mundo é uma lâmpada a seus pés e uma luz para clarear o seu caminho.*

Hebreus 12:28-29; Salmos 119:105

30 de abril

QUANDO ALGUM ITEM básico lhe faltar – tempo, energia, dinheiro –, considere-se abençoado. A falta é uma oportunidade de se entregar a mim numa relação de dependência. Quando você começar o dia sem ter os recursos que julgava necessários, concentre seus esforços no momento presente. É neste tempo que você deve viver: no presente. Estou esperando por você no agora. Reconhecer sua inadequação é uma enorme bênção, que o educa a confiar em mim de todo o coração.

A verdade é que a autossuficiência é um mito perpetuado pelo orgulho e pelo sucesso fugaz. Saúde e riqueza podem desaparecer num instante, assim como a própria vida. Deleite-se na sua insuficiência, sabendo que o *meu poder se aperfeiçoa na fraqueza.*

Tiago 1:2; 2Coríntios 12:9

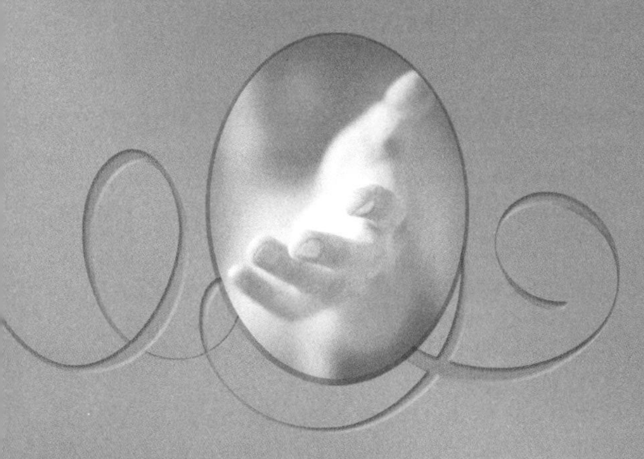

Maio

"Atribuam ao Senhor a glória que o seu nome merece; adorem o Senhor no esplendor do seu santuário."

Salmos 29:2

1º de maio

VOCÊ ESTÁ NO CAMINHO QUE ESCOLHI. Não há acaso na sua vida. O aqui e o agora são as coordenadas do seu cotidiano. A maioria das pessoas deixa esses instantes escaparem por entre os dedos. Elas evitam o presente se preocupando com o futuro ou ansiando por estar em outro tempo ou lugar. Elas se esquecem de que são criaturas sujeitas às limitações do espaço e do tempo. Esquecem que o Criador caminha ao lado delas somente no presente.

Todos os momentos estão repletos da minha presença para aqueles cujos corações estão conectados ao meu. Ao ter uma vida de intensa comunicação comigo, você descobrirá que não tem tempo para se preocupar. Assim, poderá deixar que o meu Espírito guie seus passos, permitindo que você ande *no caminho da paz.*

Lucas 12:25-26; 1:79

2 de maio

VIVER DEPENDENDO DE MIM é o meio para criar uma vida de abundância. Você está aprendendo a apreciar os momentos difíceis porque eles ampliam sua consciência da minha presença. As tarefas que você costumava temer se transformam em oportunidades de viver mais perto de mim. Quando estiver cansado, lembre-se de que sou sua força; sinta o prazer de se apoiar em mim. Fico feliz por sua tendência a me procurar cada vez mais, principalmente quando está sozinho.

Quando você está com outras pessoas, costuma se afastar de mim. Seu medo de desagradá-las o torna escravo delas, que se transformam no seu foco principal. Quando você perceber que isso está acontecendo, sussurre meu nome; esse gesto de fé mínimo me traz de volta para o primeiro plano da sua consciência, que é o lugar ao qual pertenço. Ao se deleitar na bênção da minha proximidade, minha vida pode fluir para os outros através de você. Eis a vida abundante!

Provérbios 29:25; João 10:10

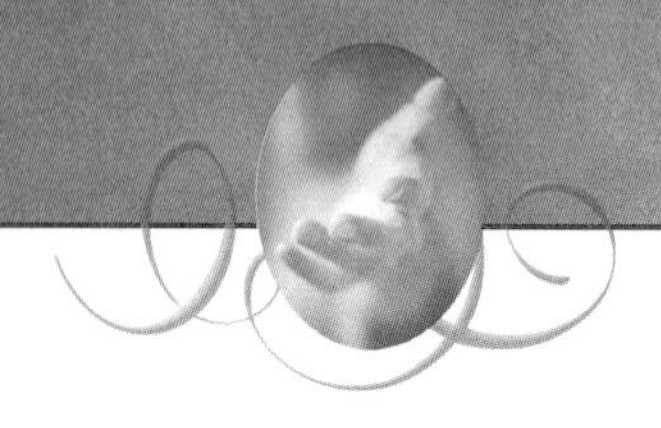

3 de maio

NINGUÉM PODE SERVIR A DOIS SENHORES. Se sou o seu mestre, você deve querer me agradar acima de tudo. Se seu objetivo for agradar às pessoas, acabará escravizado por elas. As pessoas podem ser duros capatazes quando lhes damos poder.

Se sou o senhor da sua vida, também serei seu *primeiro amor*. Sua servidão a mim está fundamentada no meu amor incondicional por você. Quanto mais você me reverenciar, mais íntima será nossa amizade. *A alegria plena de viver na minha presença* ofusca todos os outros prazeres. Quero que você reflita minha luz vivendo cada vez mais ao meu lado.

Mateus 6:24; Apocalipse 2:4;
Efésios 3:16-17; Salmos 16:11

4 de maio

ENCONTRE-ME NA TRANQUILIDADE da manhã, enquanto a terra estiver molhada pelo orvalho da minha presença. *Adore-me no esplendor do santuário.* Cante canções de amor em meu santo nome. Quando você se entrega a mim, meu Espírito mergulha dentro de você até inundá-lo com a minha presença divina.

O jeito mundano de buscar riquezas é árduo e confuso. Você obtém minhas riquezas abdicando das coisas e sendo generoso. Quanto mais você se entrega a mim e às minhas vontades, mais eu o preencho com a *indizível e gloriosa alegria*.

Salmos 29:2; 1Pedro 1:8

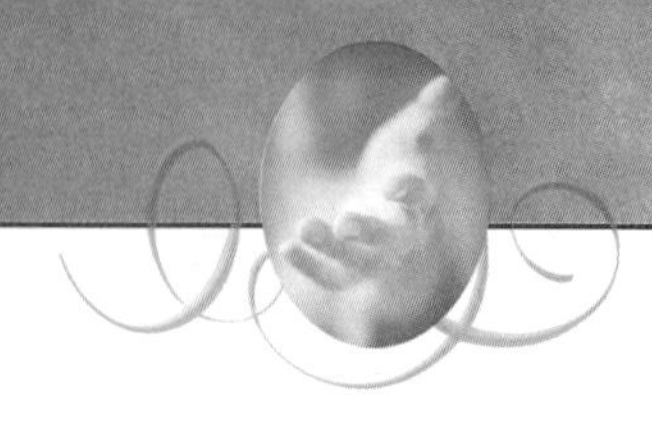

5 de maio

APROXIME-SE DE MIM SEMPRE que precisar de ajuda. Venha a mim com ações de graça, porque a gratidão abre a porta para os meus tesouros. Quando você é grato, afirma a verdade fundamental de que eu sou Deus. Eu sou a luz, *na qual não há treva alguma*. A certeza de que sou completamente bom satisfaz sua necessidade de segurança. Sua vida não está sujeita aos caprichos de uma divindade manchada pelo pecado.

Relaxe no conhecimento de que o único que controla sua vida é totalmente confiável. Venha até mim cheio de confiança. Não há nada de que você precise que eu não possa suprir.

Salmos 95:2; 1João 1:5

6 de maio

NÃO BUSQUE A SEGURANÇA no mundo que você habita. Você tem a tendência de fazer listas mentais das coisas que precisa realizar para obter o controle da sua vida. Se pudesse realizar todas as tarefas, relaxaria e ficaria em paz. Porém, quanto mais você se esforça para alcançar esse objetivo, mais itens surgem em sua lista. Quanto mais você tenta, mais frustrado fica.

Há uma maneira melhor de encontrar segurança nesta vida. Em vez de repassar mentalmente todos os seus afazeres, volte a atenção para a minha presença. Esse contato contínuo comigo o manterá em paz. Eu o ajudarei a distinguir o que é importante do que não é, o que precisa ser feito agora e o que não. *Fixe seus olhos não naquilo que se vê* (seus problemas), *mas no que não se vê* (minha presença).

Isaías 26:3; 2Coríntios 4:18

7 de maio

SE VOCÊ APRENDER A CONFIAR EM MIM – confiar de verdade –, nada poderá separá-lo da minha paz. Todas as dificuldades que você suporta podem ser encaradas como algo positivo, pois o ensinam a confiar em mim. É assim que você frustra as obras do mal, amadurecendo por meio da adversidade criada para feri-lo. José foi o maior exemplo dessa inversão divina, e declarou a seus irmãos: "Vocês planejaram o mal contra mim, mas Deus o tornou em bem".

Não tema o que o dia de hoje possa lhe trazer. Concentre-se na fé e em fazer o que é preciso ser feito. Relaxe consciente da minha soberania, lembrando-se de que sigo à sua frente e também ao seu lado, todos os dias. *Não tema o mal*, porque posso extrair o bem de todas as situações com as quais você se deparar.

Gênesis 50:20; Salmos 23:4

8 de maio

NÃO ANSEIE PELA FALTA DE DIFICULDADES. Esse é um objetivo ilusório, já que *neste mundo você sempre encontrará problemas*. Há toda uma eternidade sem obstáculos reservada para você no paraíso. Deleite-se nessa herança à qual você tem direito, mas não busque um paraíso na Terra.

Ao acordar, pense em suas aflições e peça-me que lhe dê condições de enfrentar as dificuldades que aparecerem. Sua melhor arma é a minha presença, a *mão que nunca solta a sua*. Discuta todas as coisas comigo. Veja o problema com leveza, como um desafio que você e eu, juntos, podemos contornar. Lembre-se de que estou ao seu lado e que *eu venci o mundo*.

João 16:33; Isaías 41:13;
Filipenses 4:13

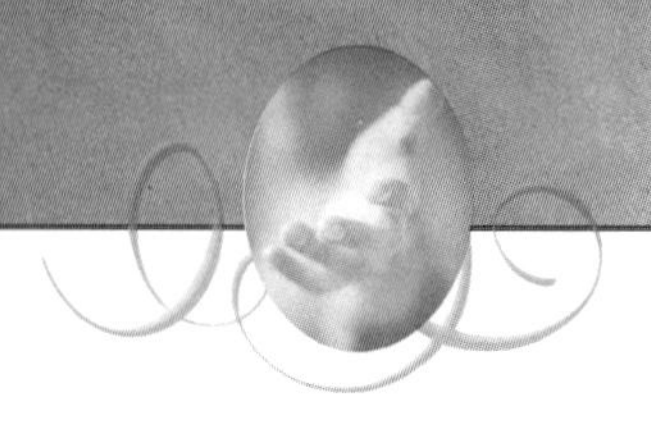

9 de maio

NÃO SEJA TÃO DURO CONSIGO MESMO. Posso extrair o bem até mesmo dos seus erros. Sua mente limitada tende a olhar para o passado, ansiando por voltar atrás em decisões das quais você se arrependeu. Isso é desperdício de tempo e energia e só gera frustração. Em vez de vagar pelo passado, entregue seus erros a mim. Procure-me com fé, acreditando que minha criatividade infinita pode juntar suas boas e más decisões e transformá-las num belo tecido.

Como você é humano, vai continuar cometendo enganos. Achar que pode viver sem errar é um sintoma do orgulho. Seus fracassos podem ser fontes de bênçãos, fazendo com que você se torne mais humilde e seja mais solidário com as fraquezas das outras pessoas. Além disso, os erros enfatizam sua dependência de mim. Sou capaz de extrair beleza do lamaçal dos seus equívocos. Confie em mim e observe atentamente para ver o que realizarei.

Romanos 8:28; Miqueias 7:7

10 de maio

NÃO RESISTA OU FUJA DOS PROBLEMAS. Eles não são aleatórios; são bênçãos feitas sob medida para seu benefício e amadurecimento. Aceite todas as circunstâncias que permito que surjam em sua vida, acreditando que vou extrair o lado positivo delas. Veja os problemas como oportunidades para confiar ainda mais em mim.

Quando você começar a ficar nervoso, deixe que essa sensação o alerte para a sua necessidade de me buscar. Assim, suas necessidades se transformarão em portais para uma intimidade cada vez maior entre nós. Por mais que a autossuficiência seja louvada no mundo físico, a confiança em mim gera uma vida de abundância no meu reino. Agradeça-me pelas dificuldades da sua vida, já que elas servem como uma proteção para o pecado da autoconfiança.

João 15:5; 2Coríntios 1:8-9;
Efésios 5:20

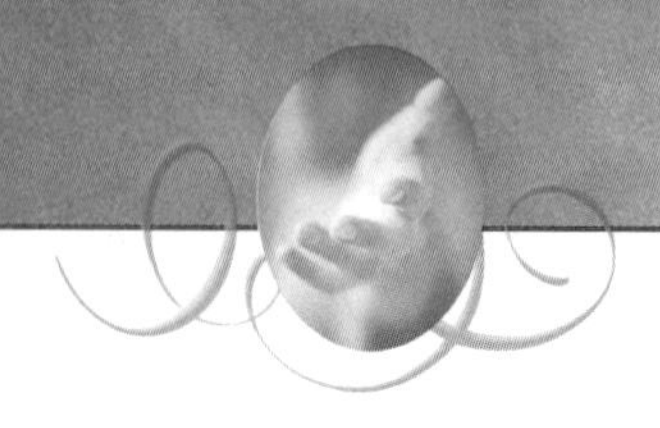

11 de maio

AGRADEÇA-ME POR SEUS PROBLEMAS. Sempre que sua mente esbarrar em alguma dificuldade, traga-a a mim com gratidão. Depois peça que eu lhe mostre a minha maneira de lidar com a situação. O próprio gesto de me agradecer liberta sua mente desse foco negativo. À medida que você volta sua atenção para mim, os problemas se tornam insignificantes e perdem a capacidade de surpreendê-lo. Juntos, podemos lidar com qualquer situação, encarando-a de frente ou deixando-a de lado, para que seja resolvida mais tarde.

A maioria dos problemas que angustiam sua mente não se refere ao presente, mas ao futuro. Por isso, tiro o problema do hoje e o deposito no amanhã, onde seus olhos não podem vê-lo. No lugar dele, dou-lhe a minha paz.

Filipenses 4:6; João 14:27

12 de maio

APRENDA A SE RELACIONAR com os outros através do meu amor, e não do seu. Seu amor humano é limitado, cheio de falhas e manipulações. Minha adorável presença, que sempre o envolve, existe para abençoar os outros e também você. Em vez de tentar ajudar as pessoas usando seus próprios recursos, conheça meus suprimentos infinitos, que estão à sua disposição. Deixe que o meu amor envolva a mão que você estende às outras pessoas.

Muitos dos meus filhos mais preciosos tornaram-se vítimas da exaustão. Incontáveis interações com pessoas carentes os deixaram esgotados sem que eles percebessem. Você está ao lado dessas pessoas enfraquecidas, que são como soldados feridos precisando de resgate. Reserve um tempo para descansar na amorosa luz da minha presença. Aos poucos, eu lhe devolverei a energia que você perdeu ao longo dos anos. *Venha a mim, você que está cansado e sobrecarregado, e eu lhe darei descanso para sua alma.*

Êxodo 33:14; Mateus 11:28-29

13 de maio

AGRADEÇA-ME DURANTE OS PERÍODOS DIFÍCEIS. Quando tudo parecer estar dando errado, procure oportunidades de amadurecimento. Pense, especialmente, nas situações que você precisa superar, entregando suas preocupações em minhas mãos. Você confia em mim para orquestrar sua vida como eu quero ou tenta fazer as coisas de acordo com a *sua vontade*? Quando você insiste em realizar suas intenções enquanto eu o guio em outra direção, desafia seus próprios desejos.

Tente ver as coisas que eu estou realizando em sua existência. Adore-me, vivendo perto de mim e *agradecendo-me em todas as circunstâncias.*

1Pedro 5:6-7; 1Tessalonicenses 5:18

14 de maio

SOU UM DEUS PODEROSO. *Nada é impossível para mim.* Escolhi usar as pessoas mais fracas, como você, para realizar meus propósitos. Planejei suas fraquezas para que você se abrisse ao meu poder. Portanto, não tema suas limitações nem compare as exigências do dia com o tamanho da sua força. O que eu exijo é que você permaneça conectado a mim, confiante de meus ilimitados recursos. Quando você enfrenta situações inesperadas, não precisa entrar em pânico. Lembre-se de que *eu estou ao seu lado.* Converse comigo e ouça quando eu lhe falar durante cada desafio.

Não sou um Deus negligente. Quando permito que dificuldades surjam em sua vida, dou-lhe todas as condições para que você as enfrente. Relaxe na minha presença, tendo fé na minha força.

Lucas 1:37; 2Coríntios 12:9

15 de maio

PASSAR ALGUM TEMPO SOZINHO ao meu lado é essencial para seu bem-estar. Não é um luxo nem uma opção: é uma necessidade. Assim, não se sinta culpado por reservar alguns instantes para conversar comigo. Lembre-se de que Satã é *o acusador dos cristãos.* Ele adora atacá-lo com sentimentos de culpa, principalmente quando você está aproveitando a minha presença. Se sentir as flechas acusatórias de Satã, é porque provavelmente está fazendo a coisa certa. Use seu *escudo da fé* para se proteger. Converse comigo sobre o que está vivendo e peça-me que lhe indique o caminho a seguir. *Resista ao diabo e ele fugirá de você. Aproxime-se de mim e eu me aproximarei de você.*

Apocalipse 12:10;
Efésios 6:16; Tiago 4:7-8

16 de maio

EU SOU O SEU SENHOR! Busque por mim como um amigo que ama sua alma, mas lembre-se de que sou o Rei dos reis – soberano acima de tudo. Você pode planejar algumas coisas ao vislumbrar o dia que se abre à sua frente, mas precisa saber que talvez eu tenha outros planos. O mais importante é determinar o que fazer *agora*. Em vez de analisar o horizonte, procurando coisas que precisam ser feitas, concentre-se na tarefa que tem diante de si neste momento. Deixe que tudo mais desapareça na paisagem. Isso limpará sua mente, permitindo que eu ocupe cada vez mais espaço em sua consciência.

Confie em mim para lhe mostrar o que fazer em seguida. Eu o guiarei passo a passo à medida que você se submeter à minha vontade. Desse modo você fica perto de mim *no caminho da paz*.

Provérbios 19:21; Lucas 1:79

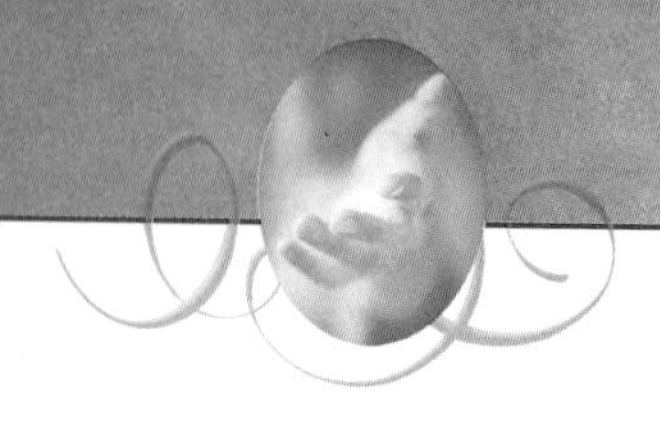

17 de maio

AO SE SENTAR TRANQUILAMENTE em minha presença, lembre-se de que sou um Deus de abundância. Nunca fico sem recursos. Minha capacidade de abençoá-lo é infinita. Você vive num mundo de oferta e procura, onde as coisas fundamentais são escassas. Mesmo que tenha o suficiente, você vê a pobreza no mundo ao seu redor. É impossível para você compreender o alcance das minhas provisões, a totalidade das *minhas gloriosas riquezas.*

Passando algum tempo comigo, vislumbra minha vastidão transbordante. Esses vislumbres são apenas pequenas porções do que você experimentará eternamente no paraíso. Mesmo agora, você só terá acesso a mim se tiver fé para me receber. Deleite-se na minha abundância – *vivendo pela fé, não pelo que vê.*

Filipenses 4:19; 2Coríntios 5:7

18 de maio

APROXIME-SE DE MIM com seus planos em suspenso. *Adore-me em espírito e em verdade,* permitindo que minha glória permeie todo o seu ser. Confie em mim a ponto de me deixar guiá-lo por este dia, realizando meus propósitos no tempo em que eu desejar. Submeta seus planos ao meu plano maior. Sou soberano sobre todos os aspectos da sua vida.

O seu desafio permanente é confiar em mim e procurar descobrir qual o meu modo de realizar as coisas. Não siga sua rota costumeira às cegas, caso contrário vai ignorar o que preparei para você. *Assim como os céus são mais altos do que a Terra, também a minha vontade é maior do que a sua e meus pensamentos são maiores do que os seus.*

João 4:24; Isaías 55:8-9

19 de maio

QUERO QUE VOCÊ SAIBA que está a salvo e seguro na minha presença. Essa é a verdade, independentemente dos seus sentimentos. Você está a caminho do paraíso e nada pode evitar que alcance esse destino. Lá você me verá frente a frente, e sua alegria será imensurável. Mesmo agora, você nunca está separado de mim, embora deva ver-me pelos olhos da fé. Eu caminharei ao seu lado até o fim dos tempos e prosseguirei pela eternidade.

Ainda que a minha presença seja uma promessa garantida, isso não necessariamente muda o que você sente. Quando se esquece de que estou ao seu lado, você pode se sentir sozinho e ficar com medo. É por meio da percepção da minha presença que a paz afugenta os pensamentos negativos. Pratique a disciplina de andar conscientemente ao meu lado ao longo de cada dia.

1Coríntios 13:12; Salmos 29:11

20 de maio

QUANDO SENTIR O PESO DOS PECADOS sobre suas costas, aproxime-se de mim. Confesse seus erros, apesar de eu já os conhecer antes que você diga qualquer palavra. Permaneça sob a luz da minha presença, recebendo o perdão, a purificação e a cura. Lembre-se de que o vesti com *as vestes da salvação*, de modo que nada pode separá-lo de mim. Sempre que tropeçar ou cair, estarei ao seu lado para ajudá-lo a se levantar.

A tendência do homem é se esconder de seu pecado, procurando refúgio na escuridão. Lá, ele se permite à autopiedade, à negação, à autoindulgência, à culpa e ao ódio. Mas *eu sou a luz do mundo* e minha luz dissipa as trevas. Aproxime-se de mim e deixe que a minha luminosidade o envolva, dissipando as trevas e permeando-o com a paz.

1João 1:7; Isaías 61:10; João 8:12

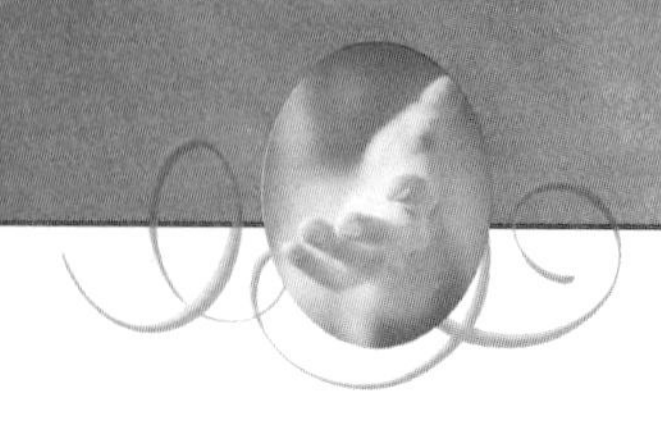

21 de maio

EU, O CRIADOR DO UNIVERSO, estou com você e por você. De que mais você precisa? Quando sente falta de alguma coisa, é porque não está ligado a mim profundamente. Eu lhe ofereço uma vida de abundância; você só precisa confiar em mim, recusando-se a se preocupar com qualquer outra coisa.

Não são apenas os acontecimentos que o deixam ansioso, mas também os seus pensamentos sobre eles. Sua mente se esforça para controlar a situação, para conseguir obter o resultado que deseja. Seus pensamentos rondam o problema como lobos raivosos. Determinado a se livrar do que o angustia, você se esquece de que estou no comando da sua vida. A única solução é desviar seu foco do problema e se voltar para mim. Pare de lutar e observe para ver o que farei.

Romanos 8:31-32; Miqueias 7:7

22 de maio

QUANDO AS COISAS NÃO ESTÃO SAINDO como você gostaria, aceite a situação. Se você permitir que o arrependimento se instale, ele pode facilmente se transformar em ressentimento. Lembre-se de que sou soberano e *humilhe-se debaixo da minha poderosa mão.* Deleite-se com o que estou fazendo na sua vida, por mais que isso esteja além da sua compreensão.

Eu sou o caminho, a verdade e a vida. Em mim você tem tudo de que precisa, tanto para esta vida quanto para a que está por vir. Não deixe que o mundo confunda seus pensamentos ou desvie sua atenção de mim. O seu maior desafio é manter os olhos fixos em mim, sem se importar com o que está acontecendo ao redor. Quando me torno a coisa mais importante da sua mente, você consegue ver os problemas sob o meu ponto de vista.

1Pedro 5:6; João 14:6

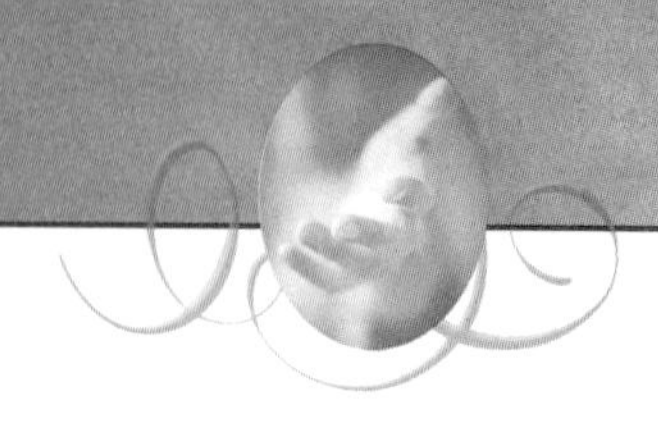

23 de maio

ACORDE PARA CADA NOVO DIA desejando me encontrar. Antes de você sair da cama, eu já havia preparado seu caminho a percorrer hoje. Há tesouros estrategicamente escondidos ao longo da estrada. Alguns desses tesouros são provações, planejadas para libertá-lo das algemas do mundo. Outros são bênçãos que revelam a minha presença: a luz do sol, as flores, os pássaros, as amizades, as preces atendidas. Eu não abandonei este mundo arruinado pelo pecado; ainda estou presente nele.

Procure pelos tesouros escondidos ao longo de todo este dia. Você me encontrará em cada passo do caminho.

Colossenses 2:2-3; Isaías 33:6

24 de maio

TRAGA-ME SUA MENTE para obter descanso e renovação. Deixe que eu derrame a minha presença sobre seus pensamentos. Quando sua mente se aquieta, seu corpo relaxa e você volta a ter consciência de mim. Essa consciência é essencial para seu bem-estar espiritual. É a sua salvação.

Neste mundo em que você vive existem mais do que as quatro dimensões que todos conhecem. Além das três dimensões do espaço e da dimensão do tempo, há a dimensão da abertura para a minha presença. Esta transcende as outras e permite que você tenha vislumbres do paraíso enquanto ainda está na Terra. Isso faz parte do meu projeto original para a humanidade. Adão e Eva costumavam andar ao meu lado no jardim antes de serem expulsos do Éden. Quero que você caminhe ao meu lado no jardim do seu coração, onde estabeleci uma residência permanente.

Gênesis 3:8; Salmos 89:15

25 de maio

ESTE MUNDO É DEMAIS PARA VOCÊ, meu filho. Sua mente passa de um problema para outro, entrelaçando seus pensamentos com nós de ansiedade. Quando você vive assim, exclui-me da sua visão de mundo e sua mente se torna escura. Ainda que anseie por ajudá-lo, não violarei sua liberdade. Fico em silêncio no fundo da sua mente, esperando que se lembre de que estou com você.

Quando você volta seus problemas para mim, seu fardo se torna mais leve. As circunstâncias talvez não se alterem, mas eu divido com você o peso das suas dores. Sua compulsão por "consertar" tudo dá lugar a uma ligação profunda e agradável comigo. Juntos podemos lidar com o que quer que o dia de hoje lhe traga.

Isaías 41:10; Sofonias 3:17;
Salmos 34:19

26 de maio

NUM MUNDO DE MUDANÇAS IMPIEDOSAS, sou o único que nunca muda. Eu *sou o Alfa e o Ômega, o Primeiro e o Último, o Princípio e o Fim*. Encontre em mim a estabilidade pela qual você anseia.

Criei um mundo belo e ordenado, que era o reflexo da minha perfeição. Agora, contudo, ele é prisioneiro do pecado e do mal. Todos no planeta estão cheios de incertezas. O único antídoto para essa ameaça sou eu. Aproxime-se de mim e encare suas próprias incertezas com o coração repleto de paz.

Apocalipse 22:13; João 16:33

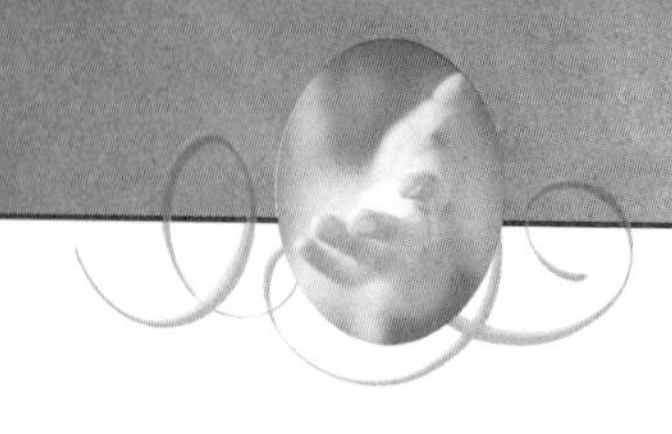

27 de maio

BUSQUE A MINHA FACE no início de cada manhã. Essa prática permite que você "me use" e "me vista" ao longo do dia. A maioria das pessoas se veste logo depois de se levantar da cama. Da mesma forma, quanto mais cedo você "me vestir" (comunicando-se comigo), mais bem preparado estará para enfrentar o que surgir à sua frente.

"Vestir-me" é essencialmente ter a minha mente: pensar meus pensamentos. Peça ao Espírito Santo que controle aquilo que lhe passa pela cabeça. Permita-se ser transformado por essa renovação. Assim você estará bem equipado para encarar qualquer pessoa ou situação que eu coloque em seu caminho. Vestir sua mente de mim é a melhor forma de se preparar para cada novo dia. Isso trará alegria e paz para você e para aqueles ao seu redor.

Salmos 27:8; Romanos 13:14;
Colossenses 3:12

28 de maio

DEIXE-ME UNGI-LO COM A MINHA PRESENÇA. *Sou o Rei dos reis e o Senhor dos senhores, habitando a luz inacessível. Quando você se aproxima de mim, eu reajo me aproximando de você.* Quando minha presença o envolve, você se sente impressionado pelo meu poder e pela minha glória. Esta é uma forma de adoração: sentir sua pequenez em comparação com a minha grandeza.

Os homens têm a tendência de fazer de si mesmos a medida de todas as coisas. Mas a consciência humana é incapaz de compreender minha majestosa vastidão. É por isso que muitas pessoas não me veem, ainda que *vivam e se movam e entreguem seu ser a mim*. Deleite-se com a beleza radiante da minha presença. Afirme meu glorioso ser para o mundo!

1Timóteo 6:15-16; Tiago 4:8;
Atos 17:28; Salmos 145:3-6

29 de maio

ESTOU AO SEU LADO, cuidando de você o tempo todo. Sou Emanuel (*Deus conosco*); minha presença o envolve num amor radiante. Nada, nem as maiores bênçãos ou as provações mais difíceis, pode separá-lo de mim. Alguns dos meus filhos me encontram com mais facilidade durante os períodos de trevas, quando os obstáculos os obrigam a contar comigo. Outros se sentem mais próximos de mim quando suas vidas estão cheias de coisas boas. Eles reagem com gratidão e louvor, abrindo ainda mais as portas para a minha presença.

Eu sei exatamente o que é necessário para aproximá-lo de mim. Atravesse cada dia procurando o que preparei para você. Aceite cada acontecimento como um suprimento feito sob medida para suas necessidades. Quando você percebe isso, sua reação é demonstrar gratidão. Não rejeite nenhuma das minhas dádivas; encontre-me em qualquer situação.

Mateus 1:23; Colossenses 2:6-7

30 de maio

O TEMPO COMIGO NÃO PODE SER APRESSADO. Quando você está com pressa, sua atenção se divide entre mim e seus afazeres. Afaste as exigências que o pressionam; crie um lugar seguro ao seu redor, um refúgio no qual você possa descansar ao meu lado. Eu anseio por ser seu foco e uso essa oportunidade para abençoá-lo, dar-lhe forças e prepará-lo para o dia à sua frente. Assim, passar algum tempo comigo é um investimento inteligente.

Traga-me o sacrifício do seu precioso tempo. Isso cria um espaço sagrado à sua volta – um espaço permeado pela minha presença e a minha paz.

Salmos 119:27; 2Crônicas 16:9;
Hebreus 13:15

31 de maio

A PAZ QUE LHE DOU transcende sua compreensão. Quando você direciona a maior parte de sua energia ao esforço de entender as coisas, torna-se incapaz de receber essa dádiva gloriosa. Eu olho dentro da sua mente e vejo seus pensamentos em redemoinho: indo para lugar algum, realizando nada. Enquanto isso, minha paz paira sobre você, em busca de um lugar onde possa pousar.

Fique imóvel na minha presença, convidando-me para controlar seus pensamentos. Deixe que a minha luz inunde sua mente e seu coração, até que você resplandeça com meu próprio ser. Essa é a maneira mais eficiente de receber a minha paz.

2Tessalonicenses 3:16; Jó 22:21

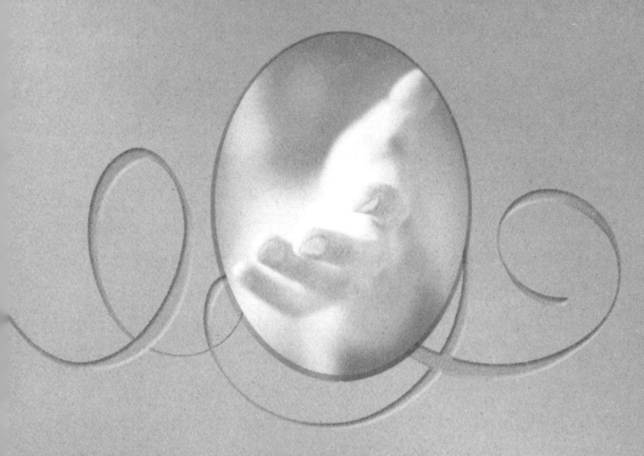

Junho

"Pois eu sou o Senhor, o seu Deus, que o segura pela mão direita e diz a você: Não tema; eu o ajudarei."

Isaías 41:13

1º de junho

ESTOU ENVOLVIDO em todos os momentos da sua vida. Mapeei cuidadosamente cada centímetro da sua jornada ao longo deste dia, apesar de você acreditar que ele é feito de acontecimentos aleatórios. Espere enfrentar problemas hoje, mas acredite que *meu caminho é perfeito*, mesmo em meio a tanta imperfeição.

Tenha consciência da minha presença ao atravessar o dia; lembre-se de que nunca saio do seu lado. Deixe que o Espírito Santo o guie passo a passo, protegendo-o das provações desnecessárias e dando-lhe condições para enfrentar os obstáculos que surgirem. Ao atravessar esse lamaçal em que se transformou o mundo, mantenha sua atenção em mim. Assim a luz da minha presença o iluminará, dando-lhe uma sensação de paz e alegria que nenhum problema é capaz de tirar.

Salmos 18:30; Isaías 41:13

2 de junho

Relaxe na minha presença santa e reabilitadora. Fique tranquilo enquanto transformo seu coração e sua mente. *Abandone* as preocupações de modo que possa receber a minha paz. *Pare de lutar! Saiba que eu sou Deus.*

Não seja como os fariseus, que regularam tudo, criando sua própria forma de "divindade". Eles se prenderam tanto às regras que inventaram, que me perderam de vista. Até hoje as normas estabelecidas pelos homens sobre como viver uma vida cristã escravizam muitas pessoas. Elas se baseiam em atitudes, e não em mim.

É apenas me conhecendo intimamente que você se torna como sou. Para isso, você precisa passar algum tempo a sós comigo. *Desista, relaxe, fique imóvel e saiba que eu sou Deus.*

Salmos 46:10; 1João 3:2

3 de junho

QUERO SER A FIGURA CENTRAL de todo o seu ser. Quando sua atenção está toda voltada para mim, minha paz dissipa os medos e as preocupações. Essas coisas o rodeiam à procura de uma entrada, por isso você deve ficar alerta. Deixe que a fé e a gratidão vigiem você, afugentando os temores antes que eles se instalem. *No meu amor não há medo*, e ele brilha continuamente sobre você. Sente-se tranquilo sob a luz do meu amor enquanto o abençoo com a minha paz. Volte todo o seu ser para confiar em mim e me amar.

2Tessalonicenses 3:16; 1João 4:18

4 de junho

ACEITE OS TEMPOS DE DIFICULDADES como oportunidades para confiar em mim. Você me tem ao seu lado e guarda o meu Espírito dentro de si, por isso nenhum problema é grande demais. Quando o caminho à sua frente estiver cheio de obstáculos, tome cuidado para não comparar os desafios ao tamanho da sua força. Isso com certeza o deixaria arrasado de tanta ansiedade. Sem mim, você não passaria nem pelo primeiro obstáculo!

A melhor forma de atravessar os dias difíceis é segurar-se firmemente à minha mão e permanecer em contato íntimo comigo. Deixe que seus pensamentos e suas palavras sejam repletos de fé e gratidão. Apesar dos problemas cotidianos, *eu posso mantê-lo em perfeita paz*, desde que você permaneça perto de mim.

Tiago 1:2; Filipenses 4:13; Isaías 26:3

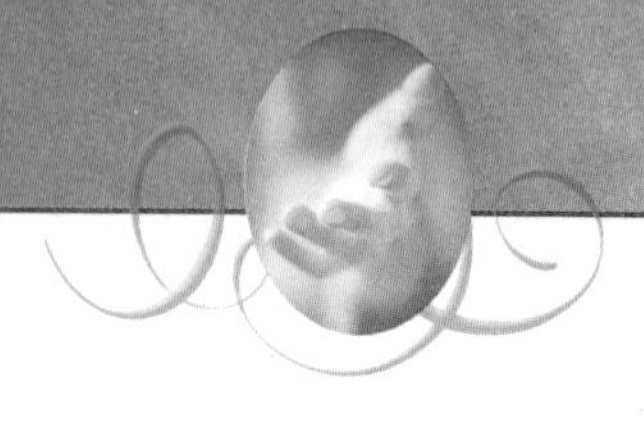

5 de junho

LEMBRE-SE DE QUE VOCÊ VIVE num mundo assolado pelo pecado. Tantas frustrações e tantos fracassos são o resultado da sua busca pela perfeição nesta vida. Não há nada perfeito neste mundo, exceto eu. É por isso que a proximidade de mim satisfaz seus anseios mais profundos e o enche de alegria.

Plantei o desejo de perfeição no coração de todos os homens. É um desejo bom, mas que somente eu posso satisfazer. No entanto, muitos tentam satisfazê-lo por meio de outras pessoas, de prazeres mundanos ou de realizações. Assim, eles criam ídolos, diante dos quais se ajoelham. Eu não aceitarei outros deuses além de mim! Torne-me o desejo mais profundo de seu coração. Deixe-me satisfazer sua busca pela perfeição.

Êxodo 20:3; Salmos 37:4

6 de junho

BUSQUE A MINHA FACE E ENCONTRARÁ satisfação para seus maiores anseios. Meu mundo está cheio de coisas belas, criadas para funcionarem como sinais e lembretes da minha adorável presença. O mundo ainda afirma minha glória para todos aqueles que têm olhos para ver e ouvidos para ouvir.

Você tinha a mente mergulhada nas trevas antes de me procurar com todo o seu coração. Eu escolhi derramar minha luz sobre você, para que pudesse se tornar um exemplo para os outros. Não há espaço para o orgulho. Sua função é refletir a minha glória. Eu sou o Senhor!

Salmos 105:4; 19:1-2; Isaías 60:2

7 de junho

EU O ENVOLVO COMPLETAMENTE, como um casulo de luz. Minha presença é uma promessa que independe da sua consciência. Muitas coisas podem impedi-lo de perceber-me à sua volta, mas o maior obstáculo é a preocupação. Meus filhos tendem a aceitar as preocupações como um fato da vida do qual não se pode escapar. Para mim, no entanto, esse sentimento é sinônimo de descrença.

Quem está no comando da sua vida? Se acha que é você, então tem mesmo um bom motivo para se preocupar. Mas se acha que eu é que mando, preocupar-se é desnecessário e contraproducente. Quando você começar a se sentir ansioso por algum motivo, entregue a situação a mim. Recue um pouco, redirecione sua atenção para mim. Eu cuidarei do problema sozinho ou lhe mostrarei como lidar com ele. Neste mundo você sempre terá aflições, mas não pode me perder de vista.

Lucas 12:22-31; João 16:33

8 de junho

QUERO QUE VOCÊ SEJA MEU por inteiro, preenchido pela luz da minha presença. Eu abdiquei de tudo por você, ao viver como homem, morrer por seus pecados e depois viver novamente. Não esconda nada de mim. Traga seus pensamentos mais secretos para dentro da luz do meu amor. Qualquer coisa que você me entregue eu transformarei e purificarei. Sei tudo sobre você, muito mais do que você próprio. Mas refreio minha vontade de resolver sua vida, esperando que se aproxime de mim pedindo ajuda. Imagine o esforço divino que isso exige, porque *eu tenho todo o poder no céu e na Terra.*

Busque minha face com um espírito aberto. Venha à minha presença com ação de graças, desejando ser transformado.

Mateus 28:18; Salmos 100:4

9 de junho

DESEJE VIVER NO MEU AMOR, *QUE É MAIOR DO QUE TODOS OS PECADOS*: seus e dos outros. Use meu amor como um traje de luz, cobrindo-o da cabeça aos pés. Não tema, porque *o perfeito amor expulsa o medo*. Olhe para as outras pessoas através de suas amáveis lentes e veja-as da maneira como eu as vejo. É assim que você caminha na luz, e isso me agrada.

Quero que aqueles que creem em mim resplandeçam sob a luz da minha presença. Fico triste quando as trevas escurecem meu amor. Volte-se para mim, seu *primeiro amor*! Olhe para mim e meu amor mais uma vez o envolverá na luz.

1Pedro 4:8; 1João 4:18; Apocalipse 2:4

10 de junho

DESCANSE EM MIM, MEU FILHO. Dê à sua mente uma trégua do planejamento excessivo e da tentativa de antever o que acontecerá. *Ore continuamente*, pedindo ao meu Espírito que assuma o controle deste dia. Lembre-se de que você está numa jornada ao meu lado. Quando tenta espiar o futuro e se preparar para qualquer situação, você ignora seu companheiro constante, aquele que o apoia em todos os momentos. Quando olha ansiosamente ao longe, nem mesmo sente minha mão segurando a sua. Como você é tolo, meu filho!

Lembrar-se de mim exige disciplina diária. Nunca ignore a minha presença. Isso o fará descansar em mim o dia inteiro, todos os dias.

1Tessalonicenses 5:17; Salmos 62:5

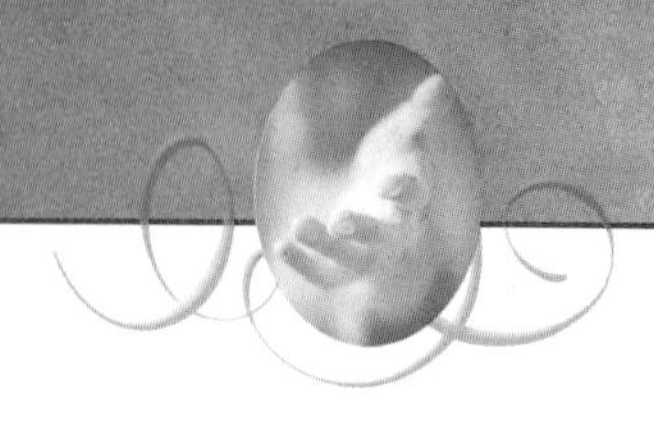

11 de junho

CONFIE EM MIM E NÃO TEMA, porque sou *SUA FORÇA E SEU CÂNTICO*. Não deixe que o medo dissipe seu poder. Em vez disso, canalize sua energia para confiar em mim e cantar minha canção. A batalha pelo controle da sua mente é dura, e os anos de preocupação o tornaram vulnerável ao inimigo. Você precisa ser vigilante e proteger seus pensamentos. Não despreze sua fraqueza, pois a estou usando para aproximá-lo de mim. Sua necessidade constante de me ter ao seu lado cria uma intimidade que vale todos os esforços. Você não está sozinho nessa batalha pela sua mente. Meu Espírito, que vive dentro de você, está sempre pronto para ajudá-lo. *Peça a ele que controle sua mente; ele o abençoará com a vida e a paz.*

Isaías 12:2; Romanos 8:6

12 de junho

DEIXE-ME AJUDÁ-LO A ATRAVESSAR O DIA. Há vários caminhos possíveis entre o momento em que você acorda de manhã e a hora em que vai para a cama, à noite. Fique atento às várias decisões que terá de tomar ao longo do caminho, e esteja sempre consciente da minha presença. Este dia será vivido de qualquer maneira. Você pode lamuriar e reclamar, tropeçando com passos hesitantes, ou então pode seguir ao meu lado ao longo do caminho da paz, contando comigo sempre que precisar. Se escolher a segunda opção, ainda encontrará dificuldades pela estrada, mas poderá enfrentá-las confiante da minha força. Agradeça-me por cada problema com que se deparar e perceba como transformo as provações em bênçãos.

1Coríntios 10:10; Lucas 1:79

13 de junho

ESTOU CRIANDO ALGO NOVO EM VOCÊ: um Espírito cheio de alegria que transborda para a vida das outras pessoas. Não confunda essa alegria com a sua própria, nem tente se vangloriar dela de algum modo. Ao contrário, apenas observe enquanto meu Espírito flui através de você para abençoar os outros. Permita-se ser transformado numa reserva do fruto do Espírito.

Sua função é viver perto de mim, aberto a tudo o que estou realizando em você. Não tente controlar o fluxo do meu Espírito, simplesmente mantenha o foco em mim enquanto caminhamos juntos. Aproveite a minha presença, que o permeia com *amor, alegria e paz.*

João 3:8; Gálatas 5:22

14 de junho

EU O AMO COM UM AMOR ETERNO. Antes do início dos tempos, eu já o conhecia. Durante anos você esteve à deriva num mar de insignificâncias, procurando amor, esperando que houvesse esperança. Desde então eu o venho acompanhando, ansioso por envolvê-lo nos meus braços compassivos.

No momento certo, me revelei a você. Eu o resgatei do mar de desespero e o levei para a terra firme. Às vezes você se sente nu, exposto diante da reveladora luz da minha presença. Eu o visto com um casaco de pele: *minhas vestes da salvação*. Eu lhe canto uma canção de amor, cujo princípio e fim estão guardados na eternidade. Dou sentido à sua mente e trago harmonia ao seu coração. Junte-se a mim para cantar a minha canção. Juntos, *tiraremos outros das trevas e os aproximaremos da minha maravilhosa luz.*

Jeremias 31:3; Isaías 61:10; 1Pedro 2:9

15 de junho

QUANDO SE APROXIMA DE MIM tranquilo e confiante, você se fortalece. Precisa se refugiar num lugar silencioso para *se ater às coisas que não pode ver.* Como sou invisível, você não pode deixar que seus sentidos dominem seu raciocínio. A maldição da Modernidade é a superestimulação dos sentidos, que bloqueia a consciência do mundo invisível.

O mundo tangível também reflete a minha glória para aqueles que têm olhos para ver e ouvidos para ouvir. Passar algum tempo a sós comigo é a melhor forma de desenvolver olhos capazes de ver e ouvidos capazes de ouvir. O objetivo é ter consciência das coisas invisíveis mesmo que você viva sua vida no mundo palpável.

2Coríntios 4:18;
Isaías 6:3; Salmos 130:5

16 de junho

PERMANEÇA NO CAMINHO CERTO ao meu lado. Muitas alternativas chamam a sua atenção, tentando desviá-lo para outra direção. Mas eu o convidei para andar sempre junto de mim, inundado da minha presença, vivendo na minha paz. Este é meu único projeto que existe para você, e foi criado antes do começo do mundo.

Reservei a todos os meus filhos um caminho distinto, planejado especialmente para cada um. Não deixe nenhuma pessoa convencê-lo de que o caminho dela é o correto. E tome cuidado para não exaltar o seu caminho como melhor do que o dos outros. O que eu exijo é que você *pratique a justiça, ame a fidelidade e ande humildemente ao meu lado* – para onde quer que eu o leve.

Efésios 2:10; Miqueias 6:8

17 de junho

Aprenda a rir de si mesmo. Não leve seus problemas tão a sério. Relaxe e saiba que eu sou *Deus com você*. Quando você deseja satisfazer minha vontade acima de tudo, a vida se torna menos ameaçadora. Pare de tentar monitorar as atividades que são de minha responsabilidade – aquelas que estão além do seu controle. Liberte-se aceitando os limites do seu território.

Rir torna seu fardo mais leve e eleva seu coração até os lares celestiais. Sua risada sobe aos céus e se mistura às melodias angelicais de louvor. Assim como pais que se deleitam com a risada dos filhos, eu me deleito ao ouvir meus rebentos rindo. Regozijo-me quando você confia em mim o bastante para aproveitar a vida com leveza.

Não ignore a alegria da minha presença carregando o peso do mundo sobre seus ombros. Em vez disso, *tome sobre si o meu jugo e aprenda de mim, pois sou manso e humilde de coração. Meu jugo é suave e meu fardo é leve.*

Provérbios 17:22; 31:25;
Mateus 1:23; 11:28-30

18 de junho

VOCÊ É MEU FILHO ADORADO. Eu *o escolhi antes da criação do mundo* para andar ao meu lado por caminhos que criei especialmente para você. Concentre-se em acompanhar meus passos em vez de tentar se antecipar aos meus planos. Se acreditar que bolei tais planos para fazê-lo prosperar e não para prejudicá-lo, poderá relaxar e aproveitar o presente.

Suas esperanças e seu futuro estão fundamentados no paraíso, onde o êxtase eterno o aguarda. Nada pode lhe tirar essa herança de riquezas e bem-estar. Às vezes dou-lhe a oportunidade de vislumbrar esse futuro glorioso para encorajá-lo e estimulá-lo. Mas seu principal foco deve ser ficar perto de mim. Eu estabeleço a sincronia entre as suas necessidades e os meus propósitos.

Efésios 1:4; Provérbios 16:9;
Jeremias 29:11; Efésios 1:13-14

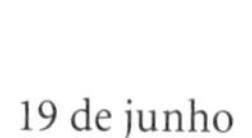

19 de junho

SOU A FUNDAÇÃO sobre a qual você pode dançar, cantar e celebrar a minha presença. Este é meu chamado para você; receba-o como uma dádiva preciosa. *Glorificar-me e se regozijar em mim* deve ser uma prioridade maior do que manter sua vida estruturada. Desista de ter tudo sob controle – essa é uma tarefa impossível e um desperdício de energia.

Meu conselho para cada um dos meus filhos é um só. É por isso que me ouvir é tão importante para o seu bem-estar. Deixe que eu o prepare para o dia que o aguarda e lhe indique a direção certa a seguir. Estou ao seu lado o tempo todo, por isso não se sinta intimidado pelo medo. Por mais que o temor o persiga, ele não pode lhe fazer mal se você estiver segurando a minha mão. Mantenha seus olhos em mim, recebendo a paz na minha presença.

Salmos 5:11; Efésios 3:20-21;
Judas 24-25; Josué 1:5

20 de junho

EU CONVERSO COM VOCÊ O TEMPO TODO. Minha natureza é comunicativa, ainda que nem sempre através de palavras. Dia após dia, crio um glorioso pôr do sol. Falo por meio dos rostos e das vozes dos entes queridos. Eu o acaricio com uma brisa suave que o refresca e alegra. Sussurro mansamente nas profundezas do seu espírito, onde construí minha morada.

Você pode me encontrar a qualquer momento, quando tem olhos para ver e ouvidos para ouvir. Peça ao meu Espírito que aperfeiçoe sua visão e sua audição. Eu me alegro sempre que você descobre a minha presença. Olhe para mim e me ouça durante intervalos silenciosos. Aos poucos você vai me encontrar mais facilmente em todas as situações. *Você vai me procurar e me achar quando me procurar de todo o coração.*

Salmos 8:1-4; 19:1-2;
1Coríntios 6:19; Jeremias 29:13

21 de junho

ESPERE PACIENTEMENTE ao meu lado enquanto o abençoo. Não deixe que a consciência do tempo atormente sua cabeça. Eu habito a eternidade: *eu sou, eu era, eu sempre serei*. O tempo é uma proteção: você é uma criatura frágil capaz de suportar apenas 24 segmentos de vida de cada vez. Mas ele também pode ser um tirano, fazendo-se incansavelmente presente em sua mente. Aprenda a dominar o tempo, ou ele o dominará.

Ainda que você seja uma criatura ligada à dimensão do tempo, procure-me no infinito. Quando você se concentra na minha presença, as exigências do tempo e dos afazeres diminuem. Eu *o abençoarei e o guardarei, fazendo com que meu rosto o ilumine graciosamente, dando-lhe paz.*

Miqueias 7:7; Apocalipse 1:8;
Números 6:24-26

22 de junho

AGRADEÇA-ME POR TODAS AS COISAS que o estão preocupando. Você está prestes a se rebelar, perigosamente perto de erguer seu punho para mim. Está com vontade de reclamar da maneira como o trato. Mas, se fizer isso, a raiva e a autopiedade podem assaltá-lo. A melhor proteção contra a indulgência é a gratidão. É impossível me agradecer e me amaldiçoar ao mesmo tempo.

A princípio, você vai se sentir estranho e intimidado ao me agradecer pelas provações pelas quais está passando. Mas, se persistir, suas palavras de gratidão, proferidas com fé, farão uma enorme diferença em seu coração. A gratidão o desperta para a minha presença, que ofusca todos os seus problemas.

Salmos 116:17; Filipenses 4:4-6

23 de junho

DEIXE QUE O MEU AMOR flua através de você, dissipando o medo e a descrença. Viver com fé significa pensar em mim sempre que imaginar estratégias para lidar com determinada situação. Minha presença contínua é uma promessa que garante que você nunca tenha de enfrentar nada sozinho. Meus filhos aceitam a verdade de que estou sempre ao lado deles, mas ainda assim não percebem a minha adorável presença. Como isso me entristece!

Quando você atravessa um dia com verdadeira fé em mim, meu coração dolorido deixa de sofrer. Volte aos poucos sua atenção para mim sempre que se sentir perdido. Eu busco a persistência – e não a perfeição – na sua caminhada ao meu lado.

Salmos 52:8; Deuteronômio 31:6;
Efésios 4:30

24 de junho

SEGURE A MINHA MÃO – E CONFIE. Se você tiver consciência da minha presença ao seu lado, tudo ficará bem. É praticamente impossível tropeçar enquanto caminha na minha luz. Eu o criei para apreciar-me acima de todas as coisas. Somente em mim você encontra a satisfação profunda para o seu coração.

Pensamentos temerosos e ansiosos se desfazem sob a luz da minha presença. Quando você se afasta de mim, torna-se vulnerável às trevas presentes no mundo. Não se surpreenda com a facilidade com que você peca quando se esquece de segurar minha mão. No mundo, a dependência é vista como imaturidade. Mas, no meu reino, a dependência de mim é a principal medida da maturidade.

Isaías 41:10; Salmos 62:5-6

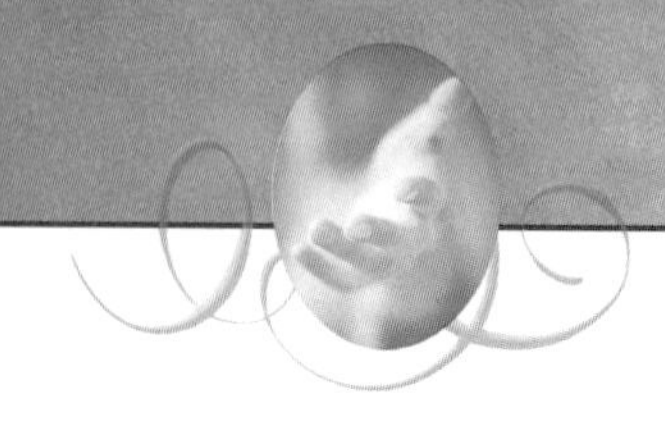

25 de junho

ABRA SUAS MÃOS E SEU CORAÇÃO para receber este dia como uma dádiva preciosa que lhe dou. Cada dia se inicia com o nascer do sol, que anuncia minha radiante presença. Quando você se levanta da cama, já preparei seu caminho. Aguardo ansiosamente seu primeiro pensamento. E me alegro quando você olha o meu caminho.

Ofereça-me sua gratidão. Ela abre seu coração para a comunhão comigo. Como sou Deus, de quem todas as bênçãos fluem, a gratidão é a melhor forma de se aproximar de mim. Cante canções de louvor, conte histórias sobre minhas maravilhosas obras. Lembre-se de que *eu me deleito em você; eu me regozijo com sua cantoria.*

Salmos 118:24; 95:2; Sofonias 3:17

26 de junho

PERMANEÇA CONSCIENTE da minha presença, não importa o que lhe acontecer hoje. Lembre-se de que sigo à sua frente e também ao seu lado ao longo do dia. Nada me surpreende. Não permitirei que as circunstâncias o abalem, desde que você mantenha os olhos fixos em mim. Eu o ajudarei a superar qualquer obstáculo. Colaborar comigo rende *bênçãos que são muito maiores do que seus problemas.* A consciência da minha presença traz uma alegria capaz de enfrentar todas as eventualidades.

Salmos 23:1-4; 2Coríntios 4:16-17

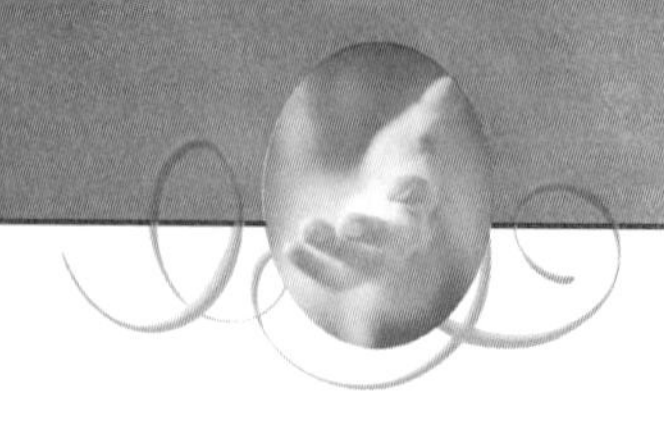

27 de junho

Descanse um pouco ao meu lado. Você tem viajado por uma estrada íngreme e cheia de obstáculos nos últimos dias. O caminho que tem diante de si está marcado pela incerteza. Não olhe nem para trás nem para a frente. Volte sua atenção para mim, seu companheiro constante. Acredite que lhe darei todas as condições para enfrentar qualquer coisa que o aguarde em sua jornada.

Criei o tempo para protegê-lo. Você não suportaria ver toda a sua vida de uma só vez. Ainda que eu não seja limitado pelo tempo, é no presente que o encontro. Descanse na minha companhia, respirando fundo na minha presença. A maior demonstração de confiança é me aproveitar instante a instante. Eu *estou com você e cuidarei de você, aonde quer que vá.*

Salmos 143:8; Gênesis 28:15

28 de junho

PROVE E VEJA COMO SOU BOM. Esse mandamento contém um convite para vivenciar minha presença. E também contém uma promessa. Quanto mais você experimentar a vida ao meu lado, mais convencido ficará da minha bondade. Essa compreensão é essencial para trilhar o caminho da fé. Quando se depara com adversidades, o instinto humano duvida da minha bondade. Meus caminhos são misteriosos, até mesmo para aqueles que me conhecem intimamente. *Assim como os céus são mais altos do que a Terra, também os meus caminhos e pensamentos são mais altos do que os seus caminhos e pensamentos.* Não tente compreender meus caminhos. Ao contrário, passe o tempo se deleitando em mim e experimentando minha bondade.

Salmos 34:8; Isaías 55:8-9

29 de junho

ASSIM QUE SAIR DA CAMA pela manhã, reconheça minha presença ao seu lado. Você pode não estar raciocinando com clareza ainda, mas eu estou. Seus primeiros pensamentos tendem a ser ansiosos até que você se conecte a mim. Convide-me para entrar em sua mente, sussurrando meu nome. De repente sua manhã se ilumina e parece mais acessível. Você não pode temer um dia que vibra com a minha presença.

Você se torna mais seguro ao saber que estou com você, que não enfrenta nada sozinho. A ansiedade nasce quando se faz a pergunta errada: "Se tal coisa acontecer, serei capaz de lidar com ela?". A pergunta certa não é se você é capaz de lidar com determinada situação, e sim se você e eu podemos resolvê-la juntos. É essa parceria entre nós que lhe dá confiança de encarar cada dia com alegria.

Salmos 5:3; 63:1; Filipenses 4:13

30 de junho

EU SOU A VERDADE, o único que veio para *LIBERTÁ-LO*. Quando o Espírito Santo controla sua mente e ações com mais intensidade, você se torna livre. E, aos poucos, vai se transformado na pessoa que o criei para ser. Esse é um trabalho que realizo enquanto você se rende ao meu Espírito. Posso fazer o meu melhor quando você se senta tranquilamente na minha presença, concentrando-se por completo em mim.

Deixe que meus pensamentos se lancem livremente sobre sua consciência, estimulando a vida abundante. *Eu sou o caminho, a verdade e a vida.* Enquanto você me segue, guio-o por novos caminhos: caminhos que você nunca imaginou. Não se preocupe com o que há na estrada à frente. Quero que você encontre segurança conhecendo a mim, aquele que morreu para *libertá-lo.*

João 8:32; Filipenses 2:13; João 14:6

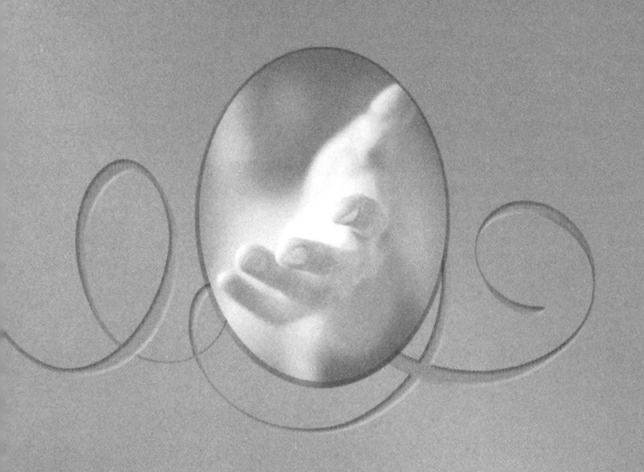

Julho

"Portanto, agora já não há condenação para os que estão em Cristo Jesus."

Romanos 8:1

1º de julho

EU SOU A VIDA E A LUZ EM ABUNDÂNCIA. Ao passar algum tempo se banhando na minha presença, você se energiza e se ilumina. Em comunhão comigo, transfere seus pesados fardos para meus ombros. Ao olhar para mim, vê sua vida sob a minha perspectiva. Passar um tempo a sós comigo é essencial para organizar seus pensamentos e encarar com leveza o dia à sua frente.

Esteja disposto a lutar por esse precioso tempo ao meu lado. A oposição surge de várias formas: seu próprio desejo de permanecer na cama; a determinação maligna de alguém que quer afastá-lo de mim; pressões da família, dos amigos e da sua própria autocrítica, que lhe dizem para gastar seu tempo de modo mais produtivo. À medida que amadurece a sua vontade de me agradar além de todas as coisas, você ganha força para resistir a essas pressões contrárias. *Deleite-se em mim, porque sou o desejo mais profundo do seu coração.*

Salmos 48:9; Deuteronômio 33:12;
Salmos 37:4

2 de julho

DEIXE QUE EU LHE MOSTRE meu caminho hoje. Eu o guio o tempo todo, de modo que você possa relaxar e aproveitar a minha presença. Viver bem é ao mesmo tempo uma questão de disciplina e uma arte. Concentre-se em permanecer ao meu lado. Controle seus pensamentos para ter fé em mim enquanto realizo minhas obras na sua vida. Ore por tudo. Depois, deixe os resultados aos meus cuidados. Não tema a minha vontade, porque é por meio dela que realizo o que é melhor para você. Respire fundo e mergulhe nas profundezas da fé absoluta. Por baixo estão *meus braços eternos!*

Salmos 5:2-3; Deuteronômio 33:27

3 de julho

MEUS FILHOS PASSAM O TEMPO JULGANDO os outros e a si mesmos. Mas sou o único capaz de julgar, e o absolvi graças ao meu sangue. Sua absolvição custou o meu sacrifício. É por isso que me ofendo quando ouço meus filhos criticarem duramente uns aos outros e odiarem a si mesmos.

Se você viver perto de mim e absorver minha palavra, o Espírito Santo o guiará e o corrigirá sempre que for necessário. *Não há condenação para aqueles que pertencem a mim.*

Lucas 6:37; 2Timóteo 4:8; Tito 3:5

4 de julho

QUANDO ME ADORA *em espírito e em verdade*, você se junta ao coro de anjos que estão o tempo todo diante do meu trono. Ainda que não possa escutar as vozes deles, seu louvor e sua gratidão são perfeitamente audíveis no paraíso. Seus pedidos também são ouvidos, mas é a gratidão que abre o caminho até o meu coração. Quando o caminho entre nós está livre, minhas bênçãos se derramam sobre você com abundância. A maior das bênçãos é ficar perto de mim e aproveitar a alegria e a paz da minha presença. Louve-me e agradeça-me continuamente ao longo deste dia.

João 4:23-24; Salmos 100:4

5 de julho

APROXIME-SE DE MIM com um coração grato, ciente de que seu cálice está transbordando de bênçãos. A gratidão permite que você me sinta com mais clareza e se regozije com nossa relação de amor. *Nada pode separá-lo da minha adorável presença!* Essa é a base da sua segurança. Sempre que começar a se sentir ansioso, lembre-se de que sua segurança está em mim, e só em mim, e que sou totalmente digno de confiança.

Você nunca estará no comando dos acontecimentos da sua vida, mas pode relaxar e confiar no meu controle. Em vez de buscar uma vida previsível, procure me conhecer melhor. Quero fazer da sua existência uma aventura gloriosa, porém, é necessário se libertar de velhos hábitos. Estou sempre realizando algo novo dentro dos meus filhos amados. Esteja atento a tudo o que preparei para você.

Romanos 8:38-39;
Salmos 56:3-4; Isaías 43:19

6 de julho

SOU SEU DEUS-PAI. Ouça-me! Aprenda o significado de ser filho de um Rei eterno. Seu maior dever é se dedicar a mim. Ter esse dever é um grande privilégio. Você tende a se sentir culpado por adotar novos limites para sua vida a fim de criar um espaço para mim. O mundo está esperando para encaixá-lo num molde pré-fabricado e extinguir esse tempo dedicado à nossa relação. Os caminhos terrenos ferem sua consciência, punindo-o por estar fazendo justamente aquilo que mais me agrada: procurando pelo meu rosto. Ouça-me acima do clamor de vozes que tentam distraí-lo. Peça ao meu Espírito que controle sua mente, porque ele e eu trabalhamos em perfeita harmonia. Permaneça tranquilo e atento à minha presença. *Você está em terra santa!*

Isaías 9:6; Romanos 8:15-16; Êxodo 3:5

7 de julho

CONFIE A MIM TODOS OS SEUS PENSAMENTOS. Sei que alguns são inconscientes, e não o considero responsável por eles. Mas você pode controlar seus pensamentos conscientes melhor do que imagina. Pratique a reflexão direcionada – confiando em mim e me agradecendo –, de modo que tais pensamentos se tornem mais naturais. Rejeite as ideias pecaminosas ou negativas assim que surgirem. Não tente escondê-las de mim; confesse-as e entregue-as em minhas mãos. Depois siga seu caminho com o coração leve. Esse método de controlar seus pensamentos manterá sua mente na minha presença e seus pés no *caminho da paz*.

Salmos 20:7; 1João 1:9; Lucas 1:79

8 de julho

QUANDO VOCÊ PROCURAR PELO MEU ROSTO, deixe de lado pensamentos sobre todo o resto. Eu estou em todas as coisas e também acima de todas elas; sua comunhão comigo transcende tanto o tempo quanto as circunstâncias. Prepare-se para ser generosamente abençoado pela minha presença, porque eu sou o Deus da abundância ilimitada. Abra seu coração e sua mente para receber uma parte ainda maior de mim. Quando sua alegria em mim encontra a minha alegria em você, veem-se fogos de artifício de êxtase celestial. Esta é a vida eterna aqui e agora: uma pequena degustação do que o aguarda no fututo. *Agora você vê apenas um reflexo obscuro, como um espelho, mas depois você me verá face a face.*

João 15:11; 1Coríntios 13:12

9 de julho

PARE DE SE PREOCUPAR E OUÇA MINHA VOZ. Eu falo baixinho com você, nas profundezas do seu ser. Sua mente oscila para a frente e para trás, para cima e para baixo, tecendo tramas confusas e cheias de ansiedade. Quando meus pensamentos se elevam dentro de você, se infiltram nesse emaranhado de preocupação. Assim, minha voz é abafada e tudo o que você consegue ouvir é um "ruído branco".

Peça ao meu Espírito que tranquilize sua mente de modo que você possa pensar meus pensamentos. Essa capacidade é um dos maiores benefícios de ser meu filho, feito à minha própria imagem. Não se deixe ensurdecer pelo barulho do mundo ou pela confusão de seu próprio raciocínio. Ao contrário, *deixe-se transformar pela renovação da sua mente.* Sente-se silenciosamente na minha presença, deixando que meus pensamentos reprogramem seu raciocínio.

Deuteronômio 30:20;
Gênesis 1:27; Romanos 12:2

10 de julho

Relaxe na minha presença pacífica. Não traga as preocupações sobre o seu desempenho para dentro de nossa comunhão. Quando você está com alguém em quem confia plenamente, sente-se livre para ser você mesmo. Essa é uma das alegrias da nossa amizade. Ainda que eu seja o *Senhor dos senhores e o Rei dos reis*, também quero ser seu melhor amigo. Quando você se sente tenso ou hesitante em relação à nossa amizade, fico magoado. Conheço o seu pior lado, mas vejo o que você tem de melhor. Anseio pela sua confiança. Quando está comigo de coração aberto, sou capaz de extrair o melhor de você: as dádivas que plantei na sua alma. Relaxe e aproveite nossa relação.

Apocalipse 17:14; João 15:13-15

11 de julho

ADORE APENAS A MIM. A idolatria sempre foi um dos defeitos do meu povo. Não escondo que sou um *Deus zeloso*. Os ídolos atuais são mais sutis do que os antigos, porque os falsos deuses de hoje costumam estar desvinculados da religião. Pessoas, bens, prestígio e riqueza são algumas das mais populares divindades do mundo moderno. Cuidado para não se curvar diante dessas coisas. Os falsos deuses nunca satisfazem; ao contrário, despertam o desejo de obter mais e mais.

Quando você procura por mim em vez de buscar os ídolos mundanos, vivencia toda a minha alegria e paz. É isso que sacia a sede da sua alma e propicia uma satisfação profunda. O brilho do mundo é minúsculo e finito. A luz da minha presença é reluzente e eterna. Caminhe na luz ao meu lado. Assim, você se transforma num farol através do qual os outros são atraídos para mim.

Êxodo 20:4-5; 2Samuel 22:29

12 de julho

SEMPRE QUE VOCÊ SE SENTIR DISTANTE de mim, sussurre meu nome com fé e adoração. Essa simples oração é capaz de restaurar sua consciência da minha presença.

Meu nome é proferido em vão o tempo todo; as pessoas o usam como palavra de maldição. Esse ataque verbal chega até o paraíso, onde todas as palavras são ouvidas e gravadas. Quando você sussurra meu nome com confiança, meus ouvidos doloridos se aliviam. O rancor das blasfêmias mundanas não é páreo para o sussurro confiante de um filho meu. O poder que meu nome tem de abençoá-lo está além da sua compreensão.

Atos 4:12; João 16:24

13 de julho

Quero que você vivencie as riquezas da sua salvação: a alegria de ser amado constantemente. Você costuma julgar-se com base na sua aparência ou na forma como se sente. Se gosta do que vê no espelho, considera-se um pouquinho mais digno do meu amor. Quando as coisas estão transcorrendo bem e seu desempenho parece adequado, você acha que é mais fácil acreditar que é meu filho amado. Mas, quando se sente desestimulado, tende a olhar para dentro de si, a fim de corrigir o que está errado.

Em vez de tentar "consertar" a si mesmo, *fixe seus olhos em mim, que sou o admirador da sua alma*. Em vez de usar sua energia para criticar a si mesmo, redirecione-a para me louvar. Lembre-se de que o vejo com o manto da minha retidão, reluzente no meu amor perfeito.

Efésios 2:7-8; Hebreus 3:1; Salmos 34:5

14 de julho

CONTINUE ANDANDO AO MEU LADO pelo caminho que escolhi para você. Sua vontade de viver perto de mim é um deleite para meu coração. Eu poderia lhe conceder instantaneamente as riquezas espirituais que você deseja, mas esse não é o caminho que planejei. Juntos, criaremos uma alameda até as montanhas. A jornada às vezes é árdua, e você é fraco. Algum dia você vai dançar suavemente nos picos mais altos, mas por enquanto sua caminhada é penosa e dura. Tudo que lhe peço é que dê o próximo passo, segurando-se na minha mão em busca de força e direção. Embora a estrada seja difícil e a paisagem torne-se feia em alguns momentos, há surpresas incríveis logo depois da próxima curva. Permaneça no caminho que criei para você. Essa é a verdadeira *vereda da vida*.

Salmos 37:23-24; Salmos 16:11

15 de julho

NÃO SE PREOCUPE COM O AMANHÃ! Isso não é um conselho, é uma ordem. Dividi o tempo em dias e noites para que você tenha porções adequadas de tempo. Minha *graça lhe basta*, mas só é suficiente para um dia de cada vez. Quando você se preocupa com o futuro, amontoa dias de problemas sobre seu corpo frágil. Ele cambaleia sob esse fardo pesado que eu nunca quis que você carregasse.

Livre-se desse peso opressivo com um golpe de confiança. Pensamentos ansiosos cruzam sua mente, mas ao confiar em mim você é trazido imediatamente para perto. Assim, afirmando sua fé, as preocupações desaparecem. Deleite-se na minha presença o tempo todo, confiando sempre em mim.

Mateus 6:34;
2Coríntios 12:9; Salmos 62:8

16 de julho

A AUTOCOMISERAÇÃO É UM POÇO profundo e lamacento. Quando você cai nele, tende a se afundar cada vez mais. Ao deslizar pelas paredes escorregadias, segue diretamente para a depressão, e lá a treva é total.

Sua única esperança é olhar para cima e ver a luz da minha presença brilhando sobre você. Por mais que a luz pareça fraca vista do fundo do poço, seus raios de esperança podem alcançá-lo em qualquer lugar. Quando você confia em mim, eleva-se lentamente desse abismo de desespero. Pode se esticar e segurar minha mão. Eu o trarei de volta para a luz. Com cuidado, eu o purificarei, tirando o lodo do seu corpo. Eu o cobrirei com a minha virtude e caminharei ao seu lado pela estrada da vida.

Salmos 40:2-3; Salmos 42:5;
Salmos 147:11

17 de julho

Fique a sós comigo durante um tempo. O mundo, com suas exigências intermináveis, pode aguardar. A maioria das pessoas me faz esperar, pensando que algum dia encontrará tempo para se concentrar em mim. Mas, quanto mais elas me empurram para segundo plano em suas vidas, mais difícil se torna me encontrar.

Você vive entre pessoas que glorificam os negócios e transformaram o tempo num tirano que controla sua vida. Até mesmo aqueles que me conhecem como salvador tendem a marchar no ritmo do mundo. Eles acabam aceitando a mentira de que mais é sempre melhor: mais reuniões, mais programas, mais atividades.

Eu o convoquei para me seguir por uma estrada solitária, tornando o tempo que você passa a sós comigo a sua maior prioridade e mais profunda alegria. Esse é um caminho muito depreciado e geralmente desprezado. Mas *você escolheu a boa parte, e ela não lhe será tirada.* Além disso, ao andar perto de mim, poderei abençoar as outras pessoas através de você.

Cântico dos Cânticos 2:13; Lucas 10:42

18 de julho

ESTOU MAIS PRÓXIMO DO QUE VOCÊ IMAGINA: presencio todos os momentos da sua vida. Você está ligado a mim por elos de amor.

Às vezes pode se sentir sozinho, porque nossa união é invisível. Quando isso acontecer, peça-me que abra os seus olhos, e me encontrará em todos os lugares.

Quanto mais ciente você estiver da minha presença, mais seguro se sentirá. Isso não significa fugir da realidade, mas voltar-se para a *realidade fundamental*. Sou muito mais verdadeiro do que o mundo que você vê, ouve e toca. *A fé é a confirmação das coisas que não vemos e a prova de que são verdadeiras, sentindo como real tudo aquilo que não se revela aos sentidos.*

Atos 17:27-28; Hebreus 11:1

19 de julho

TRAGA-ME TODOS OS SEUS SENTIMENTOS, mesmo os que você gostaria de não estar sentindo. Eles em si não são pecaminosos, mas podem se tornar tentações por pecados. Mísseis ardentes de medo voam em sua direção dia e noite. Esses ataques do mal chegam de forma ininterrupta. *Use o escudo da fé para apagar as setas inflamadas do Maligno.* Reafirme sua confiança em mim, independentemente de como você se sinta. Se persistir, seus sentimentos acabarão por se alinhar à sua fé.

Não se esconda do medo nem finja que ele não existe. Exponha suas ansiedades à luz da minha presença, para que possamos lidar com elas juntos. Concentre-se em confiar em mim e, aos poucos, o medo vai perder força dentro de você.

Efésios 6:16; 1João 1:5-7; Isaías 12:2

20 de julho

PROCURE PELA MINHA FACE E ENCONTRARÁ tudo aquilo que vem procurando. Seu desejo mais profundo é desenvolver uma relação íntima comigo. Sei disso porque o criei para me desejar. Não se sinta culpado por reservar algum tempo para permanecer tranquilamente na minha presença. Você está simplesmente respondendo ao convite da divindade que existe dentro de você. Eu o fiz à minha imagem e escondi o paraíso no seu coração. Seu anseio por mim é uma forma de saudade: um desejo por sua morada verdadeira no céu.

Não tenha medo de ser diferente das outras pessoas. O caminho que o chamei para seguir é perfeitamente adequado a você. Quanto mais alinhado você estiver com a minha liderança, mais serei capaz de desenvolver suas dádivas. Para me seguir com todo o coração, você precisa abrir mão da vontade de agradar os outros. Mas sua proximidade comigo abençoará os demais ao permitir que você brilhe intensamente neste mundo de trevas.

Salmos 42:1-2; Salmos 34:5;
Filipenses 2:15

21 de julho

DESCANSE AO MEU LADO quando precisar se fortalecer. Descansar não significa necessariamente ficar à toa, como as pessoas costumam pensar. Quando você relaxa na minha companhia, está demonstrando confiança em mim. *Confiar* é uma palavra rica, carregada de sentido e direção para a sua vida. Quero que *se apoie, tenha fé e confie em mim*. Quando você conta comigo para ajudá-lo, deleito-me em sua entrega.

Muitas pessoas se afastam de mim quando estão cansadas. Elas me associam ao dever e à obrigação, por isso tentam se esconder de mim quando precisam de um intervalo. Como isso me entristece! Como eu disse por meio do profeta Isaías: *No arrependimento e no descanso está a salvação de vocês, na quietude e na confiança está o seu vigor.*

Provérbios 3:5; Isaías 30:15

22 de julho

ENCONTRE A LIBERDADE tentando me agradar acima de todas as coisas. *Você só pode ter um Senhor.* Quando permite que as expectativas dos outros o motivem, desperdiça energia. Seu próprio desejo de parecer bom aos olhos dos outros também pode sugar sua força. Eu sou seu mestre e não o induzo a ser aquilo que não é. Sua dissimulação me desagrada, principalmente quando está a meu "serviço". Concentre-se em permanecer perto de mim sempre. É impossível não ser autêntico enquanto se está atento à minha presença.

Efésios 5:8-10;
Mateus 23:8; Mateus 6:1

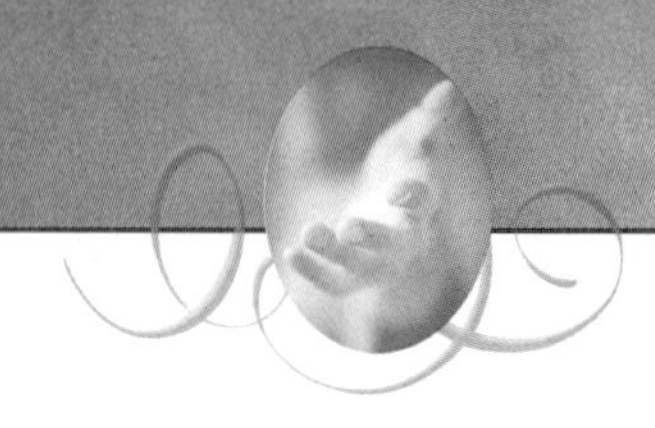

23 de julho

EU SOU A LUZ DO MUNDO. Os homens rastejam pela vida amaldiçoando as trevas, enquanto brilho intensamente o tempo todo. Desejo que todos os meus seguidores sejam portadores da luz. O Espírito Santo que vive em você pode brilhar através do seu rosto, tornando-me visível às pessoas ao seu redor. Peça a ele que viva em você ao longo deste dia. Segure minha mão alegremente e com confiança, pois nunca saio do seu lado. A luz da minha presença está sendo derramada sobre você. Ilumine o mundo refletindo quem sou.

João 8:12; Mateus 5:14-16;
2Coríntios 3:18; Êxodo 3:14

24 de julho

A GRATIDÃO ABRE AS PORTAS para a minha presença. Embora eu esteja sempre com você, fiz grandes sacrifícios para preservar seu livre-arbítrio. Instalei uma porta entre nós e lhe dei a chave. Há várias maneiras de abri-la, mas a gratidão é uma das mais eficientes.

A gratidão é construída sobre um substrato de fé. Quando as palavras de agradecimento ficarem presas na sua garganta, você precisará avaliar as fundações da sua fé. Mas, quando a gratidão fluir livremente do seu coração e da sua boca, deixe que ela o aproxime de mim. Quero que você aprenda a arte de *dar graças em todas as circunstâncias*. Perceba quantas oportunidades você tem de me agradecer diariamente; isso despertará sua consciência para receber diversas bênçãos. Eu amenizarei o impacto das provações quando elas o atingirem. Pratique a comunhão comigo exercitando a disciplina da gratidão.

Salmos 100:4; 1Tessalonicenses 5:18

25 de julho

AO OUVIR OS PÁSSAROS chamando uns aos outros, ouça também meu chamado de amor por você. Estou falando o tempo todo: por meio de paisagens, sons, pensamentos, impressões e das Escrituras. Não há limite para os meios que posso usar para me comunicar com você. Sua função é se manter atento às minhas mensagens, venham de onde vierem. Quando está disposto a me encontrar, você descobre que o mundo é incrivelmente cheio de vida. Pode me ver não apenas na beleza e no canto dos pássaros, mas também na tragédia e nos rostos marcados pelo sofrimento. Posso pegar a dor mais profunda e *transformá-la num manto de bondade.* Procure por mim e pelas minhas mensagens ao atravessar este dia. *Você me procurará e me achará quando me procurar de todo o coração.*

João 10:27; Romanos 8:28;
Jeremias 29:13

26 de julho

RELAXE E ME DEIXE GUIÁ-LO ao longo deste dia. Tenho tudo sob controle. Você tem a tendência de espiar ansiosamente o dia que tem diante de si, numa tentativa de planejar o que fazer e quando fazer. Mas então o telefone ou a campainha tocam e você tem de ajustar seus planos. Todo esse planejamento o prende e o afasta de mim. Você não deve estar atento à minha presença apenas nos momentos de tranquilidade, mas em todas as ocasiões. Quando olha para mim, mostro-lhe o que fazer agora e depois.

Muito tempo e energia são desperdiçados no planejamento obsessivo. Quando você permite que eu direcione seus passos, obtém a liberdade necessária para aproveitar minha companhia e descobrir tudo o que preparei para você no dia de hoje.

Salmos 32:8; Salmos 119:35;
Salmos 143:8

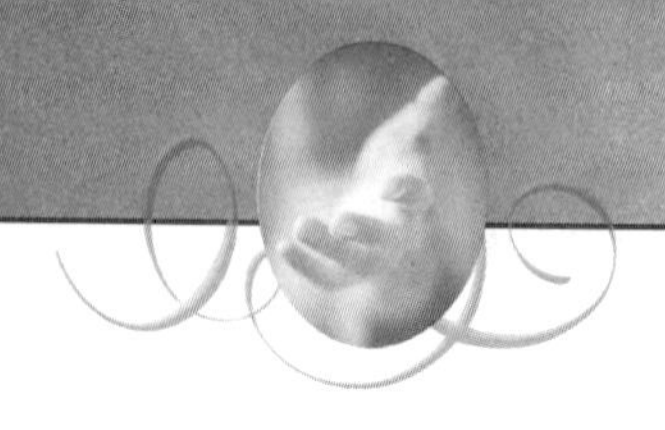

27 de julho

A ESPERANÇA É uma corda de ouro que liga você ao paraíso. Ela o ajuda a manter a cabeça erguida, mesmo quando as provações lhe tiram o sono. Eu nunca saio do seu lado e nunca solto sua mão. Mas, sem a corda da esperança, sua cabeça pode pender e seus pés podem tropeçar enquanto você realiza a caminhada ao meu lado. A esperança muda sua perspectiva: se antes você olhava para seus pés cansados, passa a mirar a paisagem gloriosa à sua frente. A estrada na qual viajamos juntos é uma estrada para o paraíso. Quando você pensa nesse incrível ponto de chegada, as dificuldades do caminho perdem a importância. Eu o estou educando para manter no seu coração uma dupla atenção: à minha presença contínua e à esperança do paraíso.

Romanos 12:12; 1Tessalonicenses 5:8; Hebreus 6:18-19

28 de julho

DEIXE QUE MEU AMOR penetre nos cantos mais escondidos do seu ser. Não impeça meu acesso a nenhuma parte de você. Eu o conheço por dentro e por fora, por isso não tente mostrar um ser "maquiado" para mim. Mágoas que você oculta da luz do meu amor infestarão você e o infeccionarão. Pecados secretos que você "esconde" de mim podem fugir e ganhar vida própria, controlando-o sem que perceba.

Abra-se completamente para a minha presença transformadora. Deixe que minha resplandecente luz de amor procure seus medos ocultos e os destrua. Esse processo exige que você fique um tempo a sós comigo, enquanto meu amor mergulha nas profundezas do seu ser. Deleite-se no *meu amor perfeito, que expulsa quaisquer vestígios do medo.*

Salmos 139:1-4, 23-24; 1João 4:18

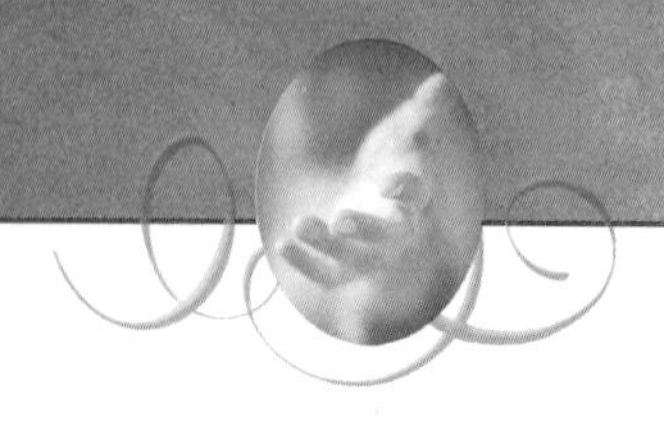

29 de julho

VENHA A MIM CONTINUAMENTE. Meu objetivo é ser o centro da sua consciência, *a âncora da sua alma*. Sua mente algumas vezes se afastará de mim, mas é você quem determina até que ponto ela pode se afastar. Uma âncora presa a uma corda curta deixa o barco apenas levemente à deriva, e só até que a corda tensa traga o barco de volta ao centro. Do mesmo modo, quando se afasta de mim, meu Espírito dentro de você o puxa de volta, fazendo com que retorne para o meu lado. Quanto mais você se harmoniza com a minha presença, menor fica a corda da âncora da sua alma. Você só se afasta um pouco até sentir aquele puxão interno dizendo-lhe para voltar ao seu centro verdadeiro, que sou eu.

Hebreus 6:19; 1João 2:28; Mateus 22:37

30 de julho

ADORE-ME NA BELEZA DA SANTIDADE. Criei a beleza para declarar a existência do meu santo ser. Uma bela rosa, um pôr do sol glorioso, o esplendor dos oceanos – todas essas coisas foram feitas para proclamar minha presença no mundo. A maioria das pessoas passa apressadamente por essas manifestações, sem prestar atenção nelas. Algumas usam a beleza, principalmente a feminina, para vender produtos.

Como são preciosos meus filhos que admiram a beleza da natureza! Isso lhes abre para a minha santa presença. Antes mesmo que me conhecesse, você já reagia maravilhado à minha criação. Essa capacidade de deslumbramento é uma dádiva, e traz consigo uma responsabilidade: a de declarar ao mundo meu glorioso ser. *A Terra inteira está cheia da minha glória – minha beleza reluzente!*

Salmos 29:2; Isaías 6:3

31 de julho

CONFIE EM MIM nas profundezas do seu ser. É lá que vivo em constante comunhão com você. Quando se sentir confuso e exausto, não se irrite. Você é apenas humano, e o redemoinho de eventos ao seu redor às vezes pode mesmo lhe parecer insuportável. Em vez de se repreender por sua natureza humana, lembre-se de que estou ao seu lado e dentro de você. *Estarei sempre com você,* estimulando e apoiando, nunca condenando. Sei que no fundo do seu ser, onde habito, minha paz é uma sensação contínua. Viva mais devagar por algum tempo. Tranquilize sua mente. Então você será capaz de me ouvir concedendo a bênção da ressurreição: *Que a paz esteja com você.*

Colossenses 1:27;
Mateus 28:20; João 20:19

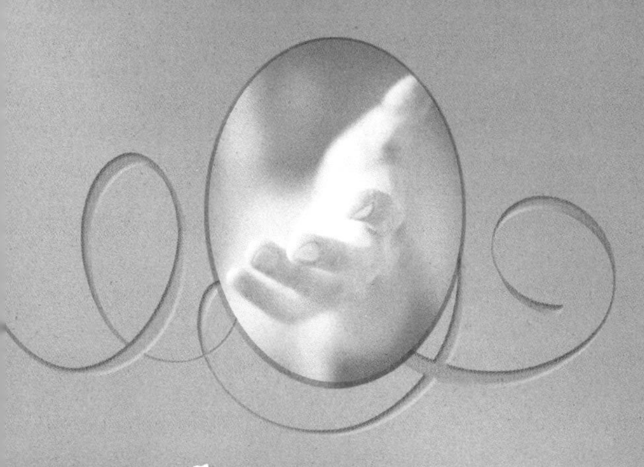

Agosto

"Quem crer em mim, como diz a Escritura, do seu interior fluirão rios de água viva."

João 7:38

1º de agosto

NADA PODE SEPARÁ-LO DO MEU AMOR. Deixe que essa afirmação divina se infiltre em sua mente e siga até seu coração e sua alma. Sempre que começar a se sentir fragilizado ou ansioso, repita estas palavras: "Nada pode me separar do seu amor, Jesus".

A maioria das tristezas humanas nasce da sensação de não ser amado. Em meio a circunstâncias adversas, as pessoas costumam acreditar que foram abandonadas. Esse sentimento é pior do que a própria adversidade. Saiba que nunca abandonei nenhum dos meus filhos, nem mesmo temporariamente. Eu *nunca o deixarei, nunca o desampararei!* Cuido de você o tempo todo. Eu *o tenho gravado nas palmas das minhas mãos.*

Romanos 8:38-39;
Josué 1:5; Isaías 49:15-16

2 de agosto

TRAGA-ME SEU TEMPO EM SACRIFÍCIO: ESSE É SEU BEM MAIS PRECIOSO. Neste mundo viciado em tarefas, poucos dentre meus filhos reservam um tempo para se sentar silenciosamente na minha presença. Mas, para aqueles que o fazem, as bênçãos jorram como *rios de água viva*. Eu, o único de quem todas as bênçãos fluem, também sou abençoado pelo tempo que passamos juntos. Esse é um mistério profundo, não tente compreendê-lo. Em vez disso, glorifique-me deleitando-se em mim. Aproveite-me agora e sempre!

Salmos 21:6; João 7:38; Salmos 103:11

3 de agosto

OBSERVE SUAS PALAVRAS COM CUIDADO. As palavras são poderosas para abençoar ou ferir. Quando você fala sem se preocupar com o efeito do que diz, causa danos aos outros e também a si mesmo. A habilidade da fala é um privilégio concedido apenas àqueles que foram criados à minha imagem. Você precisa de ajuda para utilizar esse poder com responsabilidade.

Ainda que o mundo aplauda respostas rápidas e espirituosas, minhas instruções quanto à comunicação são bem diferentes: *Seja rápido para ouvir, lento para falar e lento para se irritar.* Peça ao meu Espírito que o ajude sempre que você falar. Ore antes de se comunicar com as pessoas ao seu redor. Não precisa ser uma prece longa – basta um "Ajude-me, Senhor" –, mas ela deve colocá-lo em contato com a minha presença. Desse modo, suas palavras permanecem sob meu controle. Quando discursos positivos substituírem os negativos, você se maravilhará diante do aumento da sua alegria.

Provérbios 12:18;
Tiago 1:19; Efésios 4:29

4 de agosto

SEGURE MINHA MÃO e ande alegremente ao meu lado ao longo deste dia. Juntos, podemos saborear os prazeres e enfrentar as dificuldades que surgirem. Fique atento a todas as coisas que preparei para você: a paisagem incrível, os recantos confortáveis para descansar e muito mais. Eu sou seu guia e sua companhia constante. Conheço todos os passos da jornada à sua frente, daqui até o paraíso.

Você não precisa optar entre ficar perto de mim e se manter no rumo certo. Como *eu sou o caminho*, ficar perto de mim é se manter no rumo certo. Quando você me traz seus pensamentos, guio-o cuidadosamente pela jornada do dia. Não se preocupe com o que há depois da curva. Apenas se concentre em aproveitar minha presença e acompanhar meu passo.

João 14:6; Colossenses 4:2

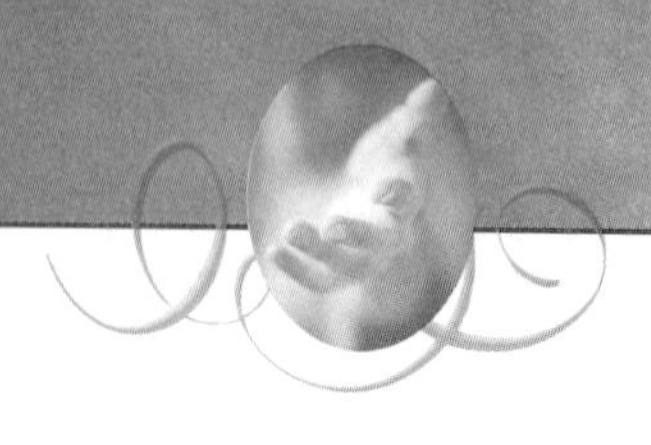

5 de agosto

SENTE-SE EM SILÊNCIO na minha presença enquanto o abençoo. Transforme sua mente numa poça d'água, pronta para receber quaisquer pensamentos que eu jogue dentro dela. Descanse comigo em seu coração enquanto reflete sobre os desafios que o dia de hoje apresenta. Não se desgaste preocupando-se com sua capacidade de suportar as pressões. Continue procurando por mim e se comunicando comigo enquanto caminhamos juntos.

Reserve algum tempo para relaxar, porque não estou com pressa. Passos vagarosos realizam mais do que os apressados. Quando você se apressa, esquece-se de quem é e a quem pertence. Lembre-se de que você é a realeza do meu reino.

Salmos 37:7;
Romanos 8:16-17; 1Pedro 2:9

6 de agosto

QUANDO TUDO PARECER ESTAR dando errado, pare e reafirme sua fé. Traga calmamente seus assuntos a mim e entregue-os às minhas habilidosas mãos. Então volte às suas tarefas. Permaneça em contato comigo por meio de orações. *Alegre-se em mim, exulte no Deus da salvação!* Quando você confia em mim, *transformo seus pés nos pés de uma corça*. Permito que ande e alcance os problemas, sofrimentos e responsabilidades nos lugares mais altos.

Jó 13:15; Salmos 18:33;
Habacuque 3:17-19

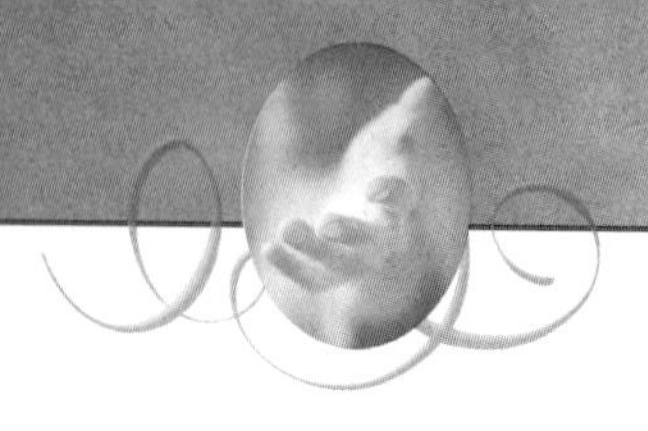

7 de agosto

O ENTENDIMENTO NUNCA LHE TRARÁ PAZ. É por isso que o instruí a *confiar em mim, não no seu entendimento.* Os seres humanos têm um apetite voraz por tentar descobrir as coisas, em busca da sensação de que têm controle sobre sua vida. Mas o mundo os presenteia com uma série infinita de problemas. Assim que você domina um conjunto de obstáculos, surge outro para desafiá-lo. O alívio que você anteviu é breve. Em pouco tempo sua mente estará acelerada novamente: procurando o entendimento (domínio) em vez de procurar por mim (seu Mestre).

Salomão, o mais sábio dos homens, nunca conseguiu se contentar com a paz. Seu vasto conhecimento resultava numa sensação de futilidade, e não em satisfação. Por fim, ele se perdeu e sucumbiu à vontade de suas esposas, adorando a ídolos.

Minha paz não é um objetivo ilusório, oculto no centro de algum labirinto complexo. Na verdade, você está sempre envolvo na tranquilidade que é inerente à minha presença. Quando olha para mim, conhece essa preciosa paz.

Provérbios 3:5-6; Romanos 5:1;
2Tessalonicenses 3:16

8 de agosto

CONVERSO COM VOCÊ das profundezas do paraíso e você me ouve nas profundezas do seu ser. *Abismo chama abismo.* Você é abençoado por me ouvir tão diretamente. Nunca ignore esse privilégio. A melhor resposta que pode dar a isso é ter um coração grato. Eu o estou educando para cultivar uma mentalidade baseada na gratidão. É como *construir sua casa sobre a rocha firme, onde as tempestades da vida não podem abalá-lo.* À medida que você aprender essa lição, deve ensiná-la às outras pessoas. Eu abrirei os caminhos à sua frente, um passo de cada vez.

Salmos 42:7; 95:1-2; Mateus 7:24-25

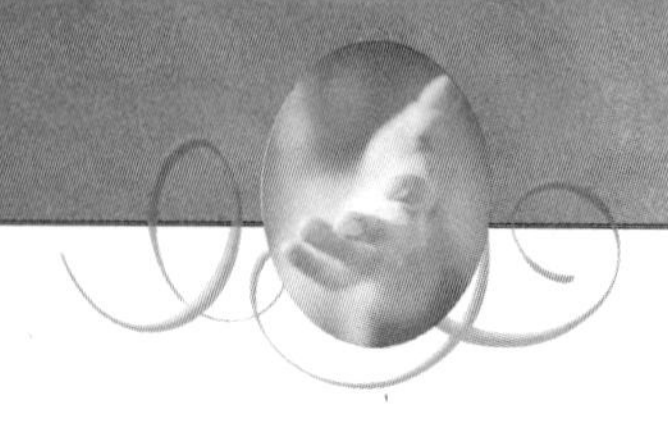

9 de agosto

VISTA MEU MANTO DA JUSTIÇA com tranquilidade. Eu o fiz sob medida para você. O preço que paguei por ele foi alto – meu próprio sangue. Você jamais seria capaz de comprar um manto real como esse, por mais que trabalhasse. Às vezes se esquece de que a minha justiça é uma dádiva e se sente constrangido por usar minhas vestes. Choro quando o vejo se encolher sob o veludo, como se ele fosse feito de um algodão esfarrapado.

Quero que confie em mim a ponto de perceber sua posição privilegiada no meu reino. Relaxe nas dobras do seu manto magnífico. Mantenha seus olhos em mim enquanto exercita seus passos usando esse traje de virtude. Quando seu comportamento não for adequado a alguém do meu reino, não tente se livrar do seu manto real. Ao contrário, dispa-se de seu comportamento inadequado. Assim você será capaz de se sentir à vontade trajando esse glorioso manto, aproveitando a dádiva que teci para você antes mesmo da criação do mundo.

Isaías 61:10; 2Coríntios 5:21;
Efésios 4:22-24

10 de agosto

RELAXE NA MINHA PRESENÇA curadora e santa. Permita que eu o transforme. À medida que seus pensamentos se voltarem mais para mim, a fé dissipará o medo e as preocupações. O tempo que você passa ao meu lado não só aumenta sua fé, mas também o ajuda a discernir o que é importante do que não é.

Energia e tempo são preciosidades limitadas. Assim, você precisa usá-los com sabedoria, atendo-se ao que é verdadeiramente significativo. Ao andar perto de mim, com as palavras das Escrituras em sua mente, eu lhe mostrarei como gastar seu tempo e sua energia. Minha *palavra é uma lâmpada a seus pés; minha presença é uma luz para o seu caminho.*

Efésios 5:15-16; Salmos 119:105

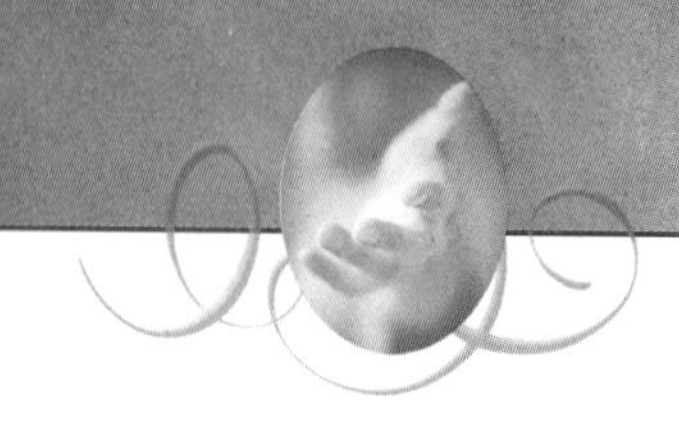

11 de agosto

VENHA A MIM. VENHA A MIM. *Venha a mim.* Este é o convite ininterrupto que lhe faço. Quando seu coração e sua mente estão em silêncio, você pode me ouvir chamando-o. Para se aproximar de mim não é necessário um grande esforço da sua parte; é mais como deixar de resistir à atração do meu amor. Abra-se para minha presença para que eu possa preenchê-lo. *Quero que você vivencie quão largo, extenso, alto e profundo é o meu amor por você, de modo que você possa conhecer o meu amor, que excede todo conhecimento.* Esse vasto oceano de amor não pode ser medido ou explicado, mas pode ser vivenciado.

Apocalipse 22:17; João 6:37;
Efésios 3:16-19

12 de agosto

PROCURE POR MIM quando se sentir fraco e cansado. Descanse confortavelmente nos meus braços eternos. Não desprezo sua fraqueza, meu filho. Na verdade, ela me aproxima de você, porque a fragilidade desperta minha compaixão, minha vontade de ajudar. Aceite seu próprio cansaço e tenha certeza de que entendo como sua jornada tem sido difícil.

Não se compare com as pessoas que parecem ter vidas mais tranquilas. A jornada delas é diferente da sua, e lhes dei energia em abundância. Mas dei a você a fragilidade, que propicia oportunidades para que seu espírito floresça na minha presença. Aceite essa dádiva como um tesouro sagrado, delicado e reluzente. Em vez de se esforçar para disfarçar ou negar suas fraquezas, permita que o abençoe por meio delas.

Isaías 42:3; Isaías 54:10; Romanos 8:26

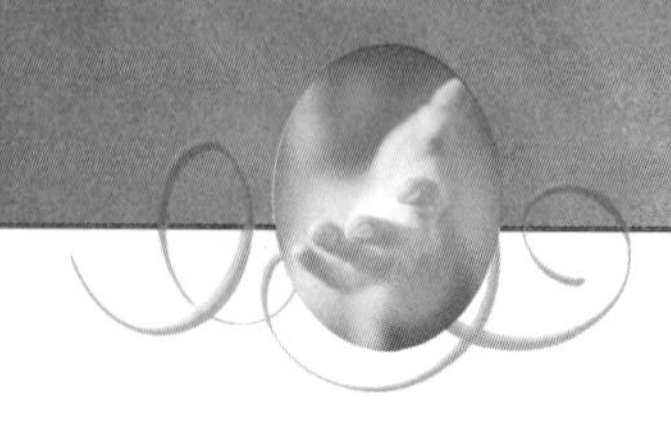

13 de agosto

APRENDA A APROVEITAR MAIS A VIDA. Relaxe, lembrando que eu sou *Deus ao seu lado*. Eu o criei com uma enorme capacidade de me conhecer e de aproveitar minha presença. Quando meus filhos exibem o rosto sofrido e vivem suas vidas com uma rigidez resignada, fico triste. Quando você atravessa o dia feliz como uma criança, saboreando todas as bênçãos, está reafirmando sua fé em mim, que sou seu pastor sempre presente. Quanto mais próximo de mim você fica, mais se torna capaz de saborear a vida. Glorifique-me através do seu prazer. Assim, você declara ao mundo a minha presença.

14 de agosto

SOU SEU POR TODA A ETERNIDADE. *Sou o Alfa e o Ômega: o Único que foi, que é e será.* O mundo que você habita é um lugar de constantes mudanças – mais do que sua mente é capaz de acompanhar. Até mesmo seu corpo está se transformando o tempo todo, apesar das tentativas da ciência de prolongar indefinidamente a vida e a juventude. Eu, contudo, *sou o mesmo ontem, hoje e para sempre.*

Como sou imutável, sua relação comigo é uma base sólida para a sua vida. Nunca sairei do seu lado. Quando você avançar desta vida para a próxima, minha presença brilhará ainda mais a cada passo. Você não tem nada a temer, porque estou com você para todo o sempre e por toda a eternidade.

Apocalipse 1:8; Hebreus 13:8;
Salmos 102:25-27; 48:14

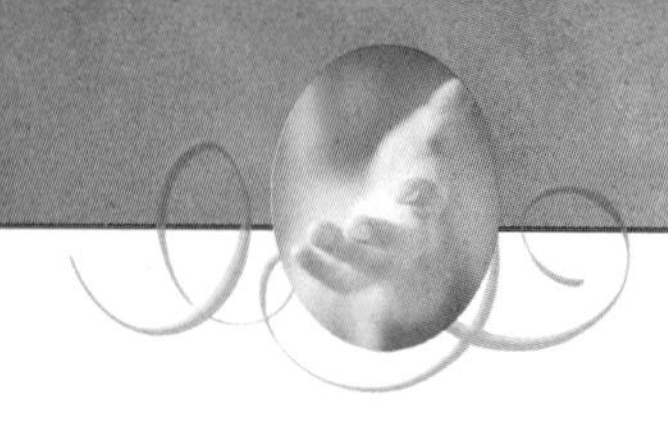

15 de agosto

Eu sou o Deus da eternidade e de tudo o que existe. Procure por mim não apenas no silêncio das manhãs, mas o tempo todo ao longo do dia. Não deixe que problemas inesperados o afastem da minha presença. Ao contrário, converse comigo a respeito de tudo e observe confiantemente para ver o que farei.

A adversidade não precisa interromper sua comunhão comigo. Quando as coisas estão dando "errado", você tende a reagir como se estivesse sendo castigado. Em vez de pensar assim, negativamente, tente ver as dificuldades como bênçãos disfarçadas. *Faça de mim o seu refúgio entregando-me seu coração, confiando no meu amor o tempo todo.*

16 de agosto

ENCONTRE-ME NO ESPLENDOR DA MANHÃ. Eu o espero ansiosamente aqui. Na tranquilidade desse tempo sagrado que você passa ao meu lado, *eu renovo a sua força* e o encho de paz. Enquanto as outras pessoas se viram para dormir mais um pouco ou ligam a televisão para ver as últimas notícias, você permanece em comunhão comigo. Despertei em seu coração o desejo de me conhecer. Esse desejo tem origem em mim, mas agora brilha em você.

Quando você procura pelo meu rosto respondendo ao meu chamado de amor, nós dois somos abençoados. Isso é um mistério profundo, criado mais para o seu deleite do que para a sua compreensão. Não sou um Deus circunspecto que desencoraja o prazer. Eu me alegro ao vê-lo aproveitar tudo o que é *verdadeiro, nobre, correto, puro, amável, admirável. Pense nessas coisas*, e minha luz brilhará ainda mais a cada dia.

Isaías 40:31; Salmos 27:4; Filipenses 4:8

17 de agosto

ENCONTRE-ME EM MEIO AO REDEMOINHO. Às vezes os eventos giram ao seu redor com tanta rapidez que tudo se transforma num borrão. Nesses momentos, sussurre meu nome, acreditando que ainda estou com você. Encontre a força e a paz orando. Mais tarde, quando as coisas acalmarem, você pode conversar melhor comigo.

Aceite cada dia exatamente como ele se apresenta. Não desperdice seu tempo e sua energia desejando circunstâncias diferentes. Em vez disso, confie em mim o bastante para aceitar minha criação e propósitos. Lembre-se de que nada pode separá-lo da minha adorável presença; *você é meu.*

18 de agosto

ESPERE ENCONTRAR ADVERSIDADES, porque este é um mundo decadente. Pare de tentar encontrar uma maneira de se desviar das dificuldades. O principal problema de uma vida fácil é que ela mascara sua necessidade de mim. Quando você se torna cristão, derramo minha própria vida dentro de você, dando-lhe o poder de existir num plano sobrenatural ao meu lado.

Antecipar as situações é impossível, já que algumas estão além da sua capacidade de lidar com elas. A consciência de sua inadequação não é algo que você deve ignorar. Você está onde eu quero que esteja – ou seja, no melhor lugar para me encontrar em toda a *minha glória e poder*. Quando vir exércitos de problemas marchando em sua direção, grite por mim! Deixe-me lutar por você. Observe-me operando em seu nome, enquanto você *descansa à sombra da minha presença todo-poderosa*.

Apocalipse 19:1; Salmos 91:1

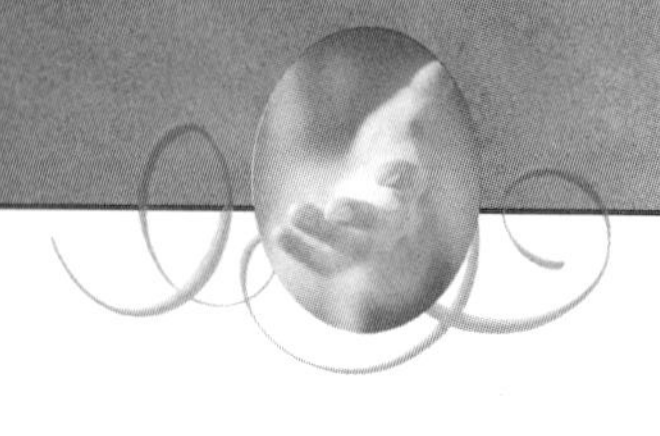

19 de agosto

EU O CHAMO O TEMPO TODO para se aproximar de mim. Sei quão grande e profunda é sua carência. Posso ler o vazio dos seus pensamentos quando eles se afastam da minha presença. Ofereço alívio para sua alma, além de descanso para sua mente e seu corpo. Quanto mais satisfação você encontra na comunhão comigo, menos importantes os outros prazeres se tornam. Conhecer-me intimamente é como ter dentro de si uma fonte particular de alegria. Essa fonte jorra livremente do meu trono de graça, de modo que sua alegria independa das circunstâncias.

Esperar na minha presença o mantém ligado a mim e ciente de tudo o que lhe ofereço. Se você sentir falta de algo, volte-se novamente para mim. É assim que você fortalece a fé em todos os momentos da sua vida.

Salmos 131:2; 21:6; 37:7

20 de agosto

EU SOU O DEUS QUE CURA. Curo corpos partidos, mentes partidas, corações partidos, vidas partidas e relacionamentos partidos. Minha própria presença tem um imenso poder cicatrizante. Você não pode viver perto de mim sem experimentar a cura em algum nível. Mas também é verdade que *você não tem porque não pede*. Você recebe a cura que flui naturalmente da minha presença, esteja procurando por ela ou não. Mas há mais, muito mais, para aqueles que me pedem.

O primeiro passo para receber a cura é viver perto de mim. Os benefícios dessa prática são numerosos demais para serem listados. Quanto mais íntimo de mim você se torna, mais diretamente lhe revelo minhas vontades. No tempo certo, o estimulo a pedir a cura para algo que esteja doente em você ou em outra pessoa. A cura pode ser imediata ou lenta, e essa escolha é minha. Seu papel é confiar totalmente em mim e me agradecer pela restauração que já começou.

Raramente curo tudo o que vai mal na vida de uma pessoa. Até mesmo ao meu servo Paulo respondi "minha graça lhe basta", quando ele me pediu que o livrasse de um *espinho em sua carne*. Apesar disso, há muita cura disponivel para aqueles cujas vidas estao intimamente ligadas à minha. *Peça e você receberá*.

Salmos 103:3; Tiago 4:2;
2Coríntios 12:7-9; Mateus 7:7

21 de agosto

FIQUE AO MEU LADO POR ALGUM TEMPO. Tenho muito a lhe dizer. Você está caminhando pela estrada que escolhi. Isso é ao mesmo tempo um privilégio e um risco: você vivencia minha gloriosa presença e a anuncia para as outras pessoas. Às vezes pode se sentir presunçoso por fazer isso. Mas não se preocupe com o que os outros pensarão a seu respeito. A obra que estou realizando em você é oculta no início. Mas em algum momento ela florescerá e os frutos surgirão em abundância. Permaneça no caminho da vida ao meu lado. Confie em mim de todo o coração, deixando que meu Espírito o preencha com alegria e paz.

1Reis 8:23; Gálatas 5:22-23

22 de agosto

CONFIE EM MIM E NÃO TEMA. Quero que você veja as provações como exercícios planejados para fortalecer seus músculos da fé. Você vive em meio a grandes batalhas espirituais, e o medo é uma das armas preferidas de Satã. Quando começar a sentir medo, reafirme sua fé em mim. Anuncie-a em voz alta, se as circunstâncias permitirem. *Resista ao Diabo em meu nome e ele fugirá de você.* Renove-se na minha santa presença. Diga ou cante louvores a mim e meu rosto brilhará radiantemente sobre você. Lembre-se de que *não há condenação para aqueles que pertencem a mim.* Você foi considerado inocente para toda a eternidade. *Confie em mim e não tema, porque sou sua força, seu cântico e sua salvação.*

Tiago 4:7; Romanos 8:1-2; Isaías 12:2

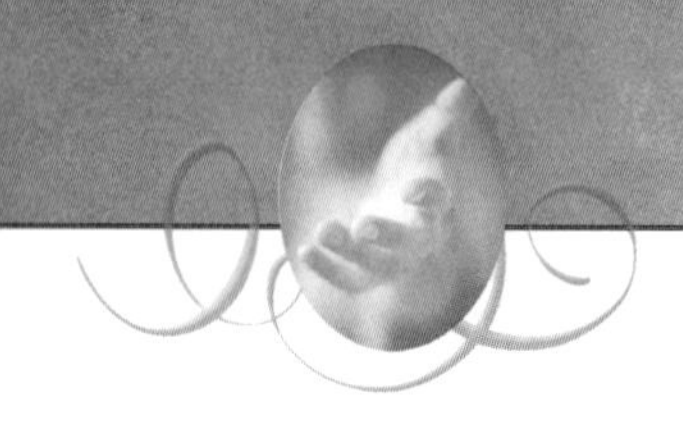

23 de agosto

ENTREGUE SEUS ENTES QUERIDOS aos meus cuidados; deixei-os sob minha proteção. Eles estão muito mais seguros comigo do que em suas mãos. Se permitir que um deles se torne um ídolo no seu coração, você colocará essa pessoa – e a si mesmo – em perigo. Lembre-se das medidas extremas que usei com Abraão e Isaque. Quase provoquei a morte de Isaque para libertar Abraão da adoração ao filho. Ambos sofreram imensamente por causa das emoções descontroladas do pai. Eu repudio a idolatria, mesmo na forma de amor parental.

Quando você entrega seus entes queridos a mim, fica livre para segurar minha mão. Quando eles estão comigo, fico livre para derramar bênçãos sobre eles. Minha *presença os acompanhará para onde forem e eu lhes darei descanso*. Essa mesma presença permanece ao seu lado enquanto você relaxa e deposita sua confiança em mim. Observe e veja o que farei.

Gênesis 22:9-12;
Efésios 3:20; Êxodo 33:14

24 de agosto

ESTOU AO SEU LADO, pairando sobre você, mesmo enquanto procura pelo meu rosto. Estou mais perto de você do que ousa acreditar, mais perto do que o ar que respira. Se todos os meus filhos pudessem reconhecer minha presença, jamais se sentiriam solitários novamente. *Conheço todos os seus pensamentos antes que você os pense, todas as palavras antes que você as diga.* Minha presença invade seu íntimo. Você percebe o absurdo de tentar esconder qualquer coisa de mim? Pode enganar facilmente as outras pessoas e até a si mesmo, mas o leio como um grande livro escrito em letras garrafais.

Muitas pessoas têm ciência da minha presença dentro delas. Muitas fogem de mim e negam com veemência minha existência, porque minha proximidade as deixa aterrorizadas. Mas meus filhos não têm o que temer, porque os purifiquei com meu sangue e os vesti com minha justiça. Como vivo em você, deixe-me também viver através de você, lançando minha luz para dentro das trevas.

Salmos 139:1-4; Efésios 2:13;
2Coríntios 5:21

25 de agosto

Eu sou o que sou; sempre fui e sempre serei. Na minha presença você experimenta o amor e a luz, a paz e a alegria. Estou intimamente envolvido em todos os seus momentos e o estou educando para ter consciência de mim o tempo todo. Sua função é colaborar comigo nesse treinamento.

Eu resido dentro de você; sou a parte mais importante do seu ser. Mas algumas vezes sua mente se afasta desse centro sagrado. Não se assuste com sua incapacidade de permanecer focado em mim. Apenas me traga de volta seus pensamentos sempre que eles se afastarem. A maneira mais rápida de redirecionar sua mente para mim é sussurrar meu nome.

Êxodo 3:14; 1Coríntios 3:16;
Salmos 25:14-15

26 de agosto

CONFIE EM MIM NESTE DIA CONTURBADO. Sua calma interior não precisa se abalar por causa do que está acontecendo ao seu redor. Ainda que você viva num mundo orientado pelo tempo, seu ser está baseado e fundamentado na eternidade. Em vez de tentar desesperadamente manter o controle do seu mundinho, relaxe e lembre-se de que os problemas não podem afligir a minha paz.

Procure pelo meu rosto e compartilharei meus pensamentos com você, abrindo seus olhos para que veja as coisas sob o meu ponto de vista. *Não permita que seu coração se perturbe e não tenha medo.* A paz que lhe dou basta.

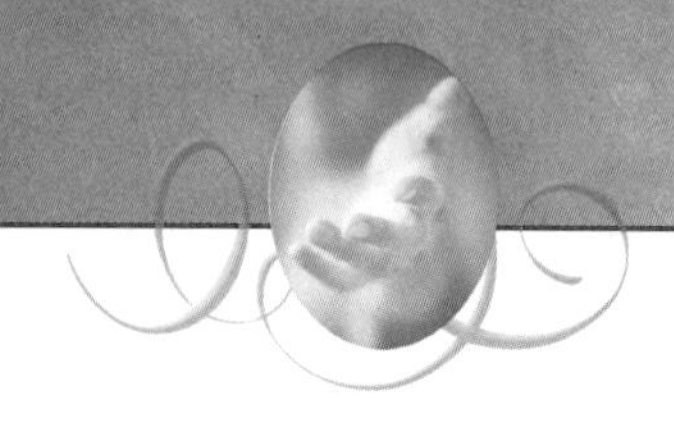

27 de agosto

PASSE ALGUM TEMPO COMIGO pelo simples prazer de estar em minha companhia. Posso iluminar o mais nebuloso dos dias; posso tornar o cotidiano interessante. Você tem de repetir muitas tarefas no dia a dia e essa monotonia pode atrapalhar seu raciocínio, fazendo com que sua mente passe a funcionar no piloto automático. Uma mente sem foco fica vulnerável "ao mundo, à carne, ao mal", coisas que deprimem seus pensamentos. À medida que seu raciocínio se deteriora, você fica mais confuso e sem rumo. O melhor remédio para isso é redirecionar seu coração para mim, que sou seu companheiro constante.

Até mesmo o mais conturbado dos dias se abre à sua frente quando você anda ao meu lado. Eu o sigo para onde você for, *iluminando seu caminho.*

Salmos 63:7-8; 119:105

28 de agosto

FORTALEÇA-SE NA MINHA PRESENÇA. Enquanto minha luz brilha sobre seu ser, você recebe nutrientes que o fazem crescer em graça. Eu o criei para viver em comunhão comigo, e essa interação reforça sua alma. Ela lhe dá pistas sobre o que o aguarda no paraíso, onde todas as barreiras entre você e minha glória são removidas. Esse tempo de meditação ao meu lado o abençoa em dobro: você vivencia a minha presença aqui e agora e se renova pela esperança do paraíso, onde me conhecerá em alegria exultante.

Salmos 4:6-8; Apocalipse 21:23

29 de agosto

DEMONSTRE SUA FÉ EM MIM sentando-se em silêncio na minha presença. Deixe de lado tudo o que tem de ser feito e não se preocupe com qualquer outra coisa. Esse tempo sagrado ao meu lado o fortalece e o prepara para encarar o que quer que o dia lhe traga. Ao conectar-se a mim antes de iniciar suas atividades diárias, você afirma a minha presença. Esse ato de fé – esperar antes de agir – é notado no mundo espiritual, onde sua demonstração de fé enfraquece *os principados e os poderes das trevas.*

A melhor maneira de resistir ao mal é se aproximar de mim. Quando você precisar agir, eu o guiarei por meio do meu Espírito e da minha palavra. O mundo é tão complexo e agitado que você pode facilmente perder o rumo. Inúmeras atividades desnecessárias consomem sua energia. Quando passa algum tempo ao meu lado, restauro seu senso de direção. Ao me procurar em busca de orientação, permito que você faça menos e realize mais.

Lucas 12:22-26; Efésios 6:12;
Provérbios 16:3

30 de agosto

NÃO EXISTE LUGAR DESOLADO a ponto de você não poder me encontrar. Quando Hagar fugiu de sua senhora, Sara, para dentro da floresta, ela achou que estava completamente sozinha e desamparada. Mas Hagar me encontrou naquele lugar deserto. Lá, ela se dirigiu a mim como *o Deus Vivo que a protege*. Assim, ela encontrou a minha presença, ganhou coragem e voltou para sua senhora.

Nenhuma circunstância pode jamais o isolar de mim. Não só o vejo sempre, como o vejo como um santo redimido, gloriosamente radiante na minha justiça. É por isso que *eu me deleito em você e me regozijo com sua cantoria!*

Gênesis 16:7-14;
Salmos 139:7-10; Sofonias 3:17

31 de agosto

Fortaleça-se nas suas fraquezas. Alguns de meus filhos são fortes, mas outros, como você, são frágeis. Porém, sua fragilidade não é um castigo nem um indício de falta de fé. Ao contrário, é uma dádiva. As pessoas como você devem viver agarradas à fé, dependendo de mim para atravessar os dias. Estou desenvolvendo sua habilidade de confiar em mim e de aprender o que tenho a ensinar, em vez de *se apoiar em seu próprio entendimento.* Sua tendência é planejar seu dia. No entanto, prefiro que você confie em mim para guiá-lo e lhe dar forças quando precisar. É assim que você se fortalece em suas fraquezas.

Tiago 4:13-15; Provérbios 3:5; Isaías 40:28-31

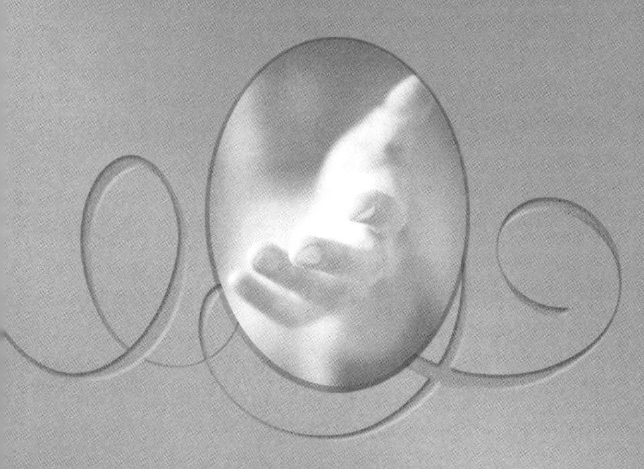

Setembro

"Eu sou a luz do mundo. Quem me segue, nunca andará em trevas, mas terá a luz da vida."

João 8:12

1º de setembro

Procure por mim com todo o seu ser. Quero ser encontrado. Orquestrei todos os eventos na sua vida com esse objetivo em mente. Quando as coisas estão indo bem, você é capaz de me ver sorrindo. Mas, quando se deparar com obstáculos, acredite que minha luz continua brilhando sobre sua vida. Ainda que meus motivos sejam um mistério para você, minha presença constante ao seu lado é uma promessa verdadeira. Procure por mim nos momentos bons e nos tempos difíceis. Você me encontrará sempre o observando.

Deuteronômio 4:29;
Hebreus 10:23; Salmos 145:20

2 de setembro

VIVER COM CONFIANÇA em mim é uma aventura gloriosa. Muitas pessoas se apressam para realizar as coisas por si próprias. Algumas obtêm sucesso, mas outras fracassam horrivelmente. Mas os dois grupos ignoram o sentido da vida: viver e trabalhar em comunhão comigo.

Quando você tem fé em mim, a sua perspectiva muda. Você vê milagres acontecendo ao seu redor enquanto outras pessoas veem apenas eventos naturais e "coincidências". Você inicia cada dia com uma alegre expectativa, aguardando para ver o que realizarei. Aceita sua fraqueza como um presente, sabendo que *meu poder se aperfeiçoa na fraqueza*. Mantém seu planejamento com certa hesitação, sabendo que os meus planos são muito superiores. *Você vive, se move e existe em mim*, desejando que eu viva em você. Eu em você, você em mim. Essa é a aventura íntima que lhe ofereço.

2Coríntios 12:9-10; Atos 17:28;
Colossenses 2:6-7; João 14:20

3 de setembro

DEIXE O ORVALHO da minha presença refrescar sua mente e seu coração. Muitas coisas disputam sua atenção na vida tão complexa de hoje em dia. O mundo mudou muito desde que ordenei pela primeira vez "Parem de lutar e saibam que eu sou Deus". Mas conhecer essa verdade atemporal é essencial para o bem-estar da sua alma. Assim como o orvalho refresca o gramado e as flores durante a noite, minha presença o revitaliza quando você se senta em silêncio ao meu lado.

Uma mente renovada é capaz de distinguir o que é importante do que não é. Em condições normais, sua mente se apega facilmente a trivialidades. Como as rodas de um carro atolado na lama, os eixos do seu cérebro giram em vão quando você se atém a assuntos inúteis. Mas assim que você começa a se comunicar comigo, seus pensamentos ganham tração e conseguem se mover, avançando para coisas mais importantes. Comunique-se comigo o tempo todo e colocarei meus pensamentos em sua mente.

Salmos 46:10; Lucas 10:39-42;
1Coríntios 14:33

4 de setembro

PERTO DE MIM VOCÊ ESTÁ SEGURO. Na intimidade da minha presença, você é energizado. Não importa onde esteja, você sabe que está no lugar certo quando me sente por perto. Desde a Queda, o homem vive um vazio que somente a minha presença é capaz de preencher. Eu o criei para se comunicar de perto com seu Criador. Como eu gostava de passear no jardim com Adão e Eva antes que o Maligno os enganasse!

Quando você comunga comigo no jardim do seu coração, nós dois somos abençoados. É assim que vivo no mundo – através de você! Juntos, afastamos as trevas, porque *eu sou a luz do mundo.*

Salmos 32:7; Gênesis 3:8-9; João 8:12

5 de setembro

SOU SEU MELHOR AMIGO, assim como seu Rei. Ande de mãos dadas comigo por toda a sua vida. Juntos, enfrentaremos qualquer coisa que surja em seu dia: prazeres, provações, aventuras, decepções. Nada é desperdiçado quando é compartilhado comigo. *Posso extrair beleza das cinzas* de sonhos perdidos. Posso tirar alegria do sofrimento, paz da adversidade. Só um amigo que é também o Rei dos reis é capaz de realizar essa alquimia divina. Não há outro igual a mim!

A amizade que lhe ofereço é prática e objetiva, ainda que esteja cheia da glória celestial. Viver na minha presença significa viver simultaneamente em dois reinos: no mundo visível e na realidade eterna e invisível. Eu lhe dei todas as condições para que você permaneça ciente de mim enquanto atravessa as veredas mundanas.

João 15:13-15; Isaías 61:3;
2Coríntios 6:10

6 de setembro

APOIE-SE EM MIM para realizar todas as coisas. O desejo de agir de forma independente – separado de mim – nasce do orgulho. A autossuficiência é sutil e se instala em seus pensamentos e atitudes sem que você perceba. Mas *sem mim você não pode fazer nada*, isto é, nada que tenha valor eterno. Meu maior objetivo é ensiná-lo a depender da minha ajuda em qualquer situação. Eu movo o céu e a terra para realizar esse propósito, mas você precisa colaborar comigo. Se lhe negasse o livre-arbítrio ou o aterrorizasse com meu poder, talvez meu trabalho ficasse mais fácil. Mas o amo demais para lhe tirar esse privilégio. Use sua liberdade com sabedoria, contando comigo sempre. Assim, você aproveita minha presença e minha paz.

João 15:5; Efésios 6:10; Gênesis 1:26-27

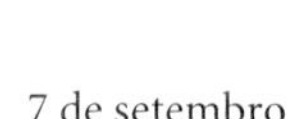

7 de setembro

SINTA O CALOR DA MINHA PRESENÇA brilhando sobre você. Sinta seu rosto latejar enquanto você se banha no meu amor. Eu o aprovo continuamente, porque o vejo coberto pela minha luz, *ostentando meu manto de justiça. Não há condenação para aqueles que estão em mim!* É por isso que abomino o uso da culpa como um meio de motivar os cristãos.

Alguns pastores tentam açoitar seu povo, fazendo-o agir por causa da culpa. Isso pode até fazer com que as pessoas trabalhem duro, mas o fim não justifica os meios. Mensagens desse tipo podem minar a graça no coração de um cristão. O pastor pode se sentir bem-sucedido quando sua congregação está realizando mais, porém eu olho dentro dos corações. Sofro quando vejo essa graça se esfacelando e as ervas daninhas da ansiedade se infiltrando. Quero que você relaxe, seguro do meu amor perfeito. *A lei do meu Espírito de vida o libertou da lei do pecado e da morte.*

Isaías 61:10; Romanos 8:1-2

8 de setembro

ACEITE CADA DIA EXATAMENTE como ele se apresenta a você. Sua função é confiar totalmente em mim, descansando na minha soberania e lealdade.

Em certos dias, os acontecimentos e a sua condição física parecem estar em desacordo: as exigências sobre você parecem muito maiores do que sua força. Em dias assim, você deve escolher entre desistir ou contar comigo. Mesmo que opte equivocadamente pela primeira alternativa, não o rejeitarei. Você pode se voltar para mim a qualquer momento, e o ajudarei a se arrastar para fora do lamaçal de desânimo. Derramarei sobre você minha força pouco a pouco, dando-lhe tudo o que você precisa para chegar até o final do dia. Confie em mim, contando com minha presença fortalecedora.

Salmos 42:5; 2Coríntios 13:4;
Jeremias 31:25

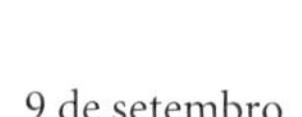

9 de setembro

CAMINHE AO MEU LADO NA ESTRADA DA FÉ. O caminho mais curto entre o ponto A e o ponto B da sua vida é o da confiança em mim. Quando sua fé vacila, você opta por uma trilha que serpenteia e o afasta do rumo. Acabará chegando ao ponto B, mas vai perder muito tempo e energia. Assim que perceber que se afastou da fé, olhe para mim e sussurre: "Confio em ti, Jesus". Essa afirmação o ajuda a tomar a direção certa novamente.

Quanto mais você vagueia pelas trilhas da descrença, mais se torna difícil lembrar-se de que estou ao seu lado. Sua ansiedade cresce, afastando-o cada vez mais da consciência da minha presença. Você precisa verbalizar sua fé com frequência. Esse simples gesto o manterá caminhando ao meu lado. *Confie em mim de todo o seu coração e eu endireitarei suas veredas.*

Isaías 26:4; Salmos 9:10;
Salmos 25:4-5; Provérbios 3:5-6

10 de setembro

ESTOU SEMPRE À SUA DISPOSIÇÃO. Depois que você passa a confiar em mim como seu salvador, jamais me distancio de você. Quando você se sentir distante de mim, aceite a sensação, mas não a confunda com a realidade. A Bíblia traz as inúmeras promessas que fiz de permanecer ao seu lado. Assim como tranquilizei Jacó quando ele estava saindo de casa e se aventurando por lugares desconhecidos, *estarei com você e cuidarei de você, aonde quer que vá*. A última promessa que fiz aos meus seguidores foi: *eu com certeza estarei sempre com vocês, até o fim dos tempos*. Permita que essa reafirmação da minha presença contínua o encha de alegria e paz. Não importa o que você possa perder nesta vida, nunca poderá perder nossa amizade.

Isaías 54:10; Gênesis 28:15; Mateus 28:20

11 de setembro

ALEGRE-SE EM MIM SEMPRE! Não importa o que esteja acontecendo, você pode se alegrar por meio de nossa relação de amor. Esse é o *segredo para viver contente em toda e qualquer situação.* Muitas pessoas sonham com o dia em que finalmente serão felizes: quando não tiverem dívidas, quando seus filhos não derem mais preocupações, quando tiverem tempo livre e assim por diante. Enquanto sonham acordadas, suas vidas escorrem pelo ralo como um bálsamo precioso que se derrama de garrafas viradas.

Fantasiar sobre a felicidade futura nunca trará satisfação, pois a fantasia é ilusória. Ainda que seja invisível, sou muito mais real do que o mundo que você vê ao seu redor. Minha realidade é eterna e imutável. Traga sua vida a mim e eu a preencherei com uma alegria vibrante.

Filipenses 4:4, 12;
Salmos 102:27

12 de setembro

RECEBA MINHA PAZ. Ela é minha dádiva contínua para você. A melhor maneira de aceitar esse presente é se sentar em silêncio na minha presença, confiando em mim em todas as áreas da sua vida. *O silêncio e a confiança* realizam muito mais do que você pode imaginar: não apenas em você, mas também na Terra e no céu. Quando você tem fé, entrega seus problemas aos meus cuidados.

Passar algum tempo a sós comigo pode ser difícil, pois vai de encontro ao seu vício de se manter em atividade. Pode parecer que você não está fazendo nada, mas na verdade está participando de batalhas travadas nos reinos espirituais. Você está guerreando – não com as *armas humanas*, e sim com armas celestiais, que *têm o poder divino de destruir fortalezas.* Viver perto de mim é uma defesa segura contra o mal.

João 14:27; Isaías 30:15;
2Coríntios 10:4

13 de setembro

APROXIME-SE DE MIM E DESCANSE. Dê para sua mente uma folga da crítica habitual. Você julga as situações, as pessoas, a si mesmo e até o clima – como se avaliar o mundo fosse a principal função da sua vida. Mas o criei fundamentalmente para me conhecer e viver em comunicação comigo. Quando se preocupa em julgar, você toma o meu lugar.

Relacione-se comigo como Criador e criatura, ovelha e pastor, servo e rei, argila e oleiro. Permita-me agir do meu modo em sua vida. Em vez de criticar o modo como me relaciono com você, aceite-o com gratidão. A intimidade que lhe ofereço não é uma relação de igual para igual. Adore-me como *Rei dos reis* enquanto anda de mãos dadas comigo pela estrada da vida.

Mateus 7:1; João 17:3;
Romanos 9:20-21; 1Timóteo 6:15

14 de setembro

ADORE-ME VIVENDO AO MEU LADO. Esse era meu plano original para o homem, dentro do qual *soprei o fôlego da vida*. Eis o que desejo para você: que fique perto de mim enquanto caminha pela estrada da sua vida. Cada dia é uma parte importante da jornada. Ainda que você se sinta como se não estivesse indo a lugar nenhum neste mundo, sua jornada espiritual é algo completamente diferente, conduzindo-o por caminhos íngremes e traiçoeiros. É por isso que *a luz da minha presença* é essencial para evitar tropeços. Ao ficar perto de mim, você se oferece como *um sacrifício vivo*. Até a parte mais sem graça do seu dia pode se transformar num *gesto de adoração espiritual, sagrado e prazeroso para mim*.

Gênesis 2:7; Salmos 89:15;
Romanos 12:1-2

15 de setembro

DESCANSE EM MIM, MEU FILHO. Esse tempo dedicado a mim deve ser pacífico, e não estressante. Eu nutro um amor infinito e incondicional por você. Você não tem de fazer nada para recebê-lo. Como me entristece ver meus filhos se esforçando para conquistar meu amor, tentando sempre mais, porém nunca se sentindo bons o bastante para serem amados!

Tome cuidado para que sua devoção a mim não se transforme em algum tipo de obrigação. Quero que você se aproxime com alegria e confiança. Você não tem nada a temer, porque está usando meu manto da justiça. Olhe dentro dos meus olhos e não encontrará condenação, apenas amor e deleite. Seja abençoado enquanto *meu rosto resplandece sobre você, dando-lhe paz.*

João 15:13; Sofonias 3:17;
Números 6:25-26

16 de setembro

EU O CRIEI PARA VIVER EM UNIÃO COMIGO. Essa união não nega quem você é; na verdade, ela o torna mais completo. Quando você tenta viver independentemente de mim, vivencia o vazio e a insatisfação. Pode *ganhar todo o mundo* e ainda assim perder tudo o que realmente importa.

Descubra a satisfação de viver ao meu lado, rendendo-se aos objetivos que tenho para você. Por mais que meus caminhos lhe pareçam estranhos, confie em mim, pois sei o que estou fazendo. Se me seguir de todo o coração, vai descobrir aspectos de si mesmo que estavam ocultos. Eu o conheço intimamente – muito melhor do que você conhece a si mesmo. Unido a mim, você está completo e se transforma cada vez mais naquele que o criei para ser.

Marcos 8:36; Salmos 139:13-16; 2Coríntios 3:17-18

17 de setembro

VOCÊ NÃO ENCONTRARÁ MINHA PAZ no planejamento excessivo e na tentativa de controlar o que lhe acontecerá no futuro. Essa é uma prática comum de descrença. Quando sua mente gira com vários planos, você pode ter a sensação de que a paz está ao seu alcance, mas isso é um engano. Você acredita que está preparado para todas as possibilidades, no entanto, algo inesperado acontece e atrapalha tudo.

Eu não criei a mente humana para adivinhar o futuro. Isso está além da sua capacidade. Criei-a para se comunicar comigo o tempo todo. Traga-me suas necessidades, suas esperanças e seus medos. Entregue tudo aos meus cuidados. Desvie-se do caminho do planejamento e se volte para o caminho da paz.

1Pedro 5:6-7;
Provérbios 16:9; Salmos 37:5

18 de setembro

ESFORCE-SE PARA ME AGRADAR acima de todas as coisas. Que esse objetivo seja a coisa mais importante deste dia. Essa mentalidade o protegerá do desperdício de energia. A liberdade que lhe concedo vem com uma incrível responsabilidade. Cada dia lhe apresenta uma ou várias escolhas. Você ignora muitas dessas decisões e, assim, age no piloto automático. Sem um foco para guiá--lo, você pode facilmente se perder no caminho. Por isso é fundamental permanecer em comunicação comigo, vivendo em consciência grata da minha presença.

Você habita um mundo decadente e confuso, onde as coisas estão se esfacelando o tempo todo. Só uma relação verdadeira comigo pode impedir que você se esfacele tamém.

Mateus 6:33; João 8:29;
Colossenses 3:23-24

19 de setembro

HÁ UMA BATALHA PODEROSA sendo travada pelo controle da sua mente. O céu e a Terra se cruzam dentro de você e o poder de ambos influencia seu raciocínio. Eu o criei com a capacidade de experimentar pequenas amostras do que encontrará no paraíso. Quando você ignora o mundo e se concentra na minha presença, pode aproveitar e se sentar comigo *nos reinos celestiais*. Esse é um privilégio reservado àqueles que pertencem a mim e que procuram pelo meu rosto. Sua maior qualidade é desejar passar algum tempo se comunicando comigo. Enquanto você se concentra em mim, *meu Espírito preenche sua mente com vida e paz.*

O mundo exerce uma força negativa sobre seus pensamentos. A mídia o bombardeia com mensagens de ambição, luxúria e cinismo. Quando se vir frente a frente com essas coisas, ore e peça proteção e discernimento. Permaneça em comunicação comigo sempre que caminhar pelos desertos do mundo. Fique alerta, reconhecendo a batalha que está sendo travada dentro de você. Olhe para a frente, para uma eternidade de vida sem problemas, reservada para você no paraíso.

Efésios 2:6; Salmos 27:8;
Romanos 8:6; 1João 2:15-17

20 de setembro

TENTE VER AS COISAS cada vez mais sob o meu ponto de vista. Deixe que a luz da minha presença preencha tão completamente sua mente que você passe a enxergar o mundo através de mim. Quando as coisas pequenas não acontecerem como você esperava, olhe para mim com o coração leve e diga "tudo bem". Essa prática simples pode impedir que você seja invadido pela frustração. Se fizer isso com disciplina, descobrirá algo que mudará sua vida: a maioria das coisas com as quais você se preocupa não é importante. Se aprender a ignorá-las e voltar sua atenção a mim, atravessará seus dias com mais tranquilidade e alegria. Quando problemas sérios surgirem em seu caminho, você terá reservas de energia para lidar com eles, pois não as terá desperdiçado com coisas pequenas. É possível que concorde com o apóstolo Paulo, que disse que todos os sofrimentos são *leves e momentâneos* em comparação com *a glória eterna* que se consegue por meio deles.

Provérbios 20:24; 2Coríntios 4:17-18

21 de setembro

ESPERE EM SILÊNCIO na minha presença enquanto meus pensamentos ganham forma nas profundezas do seu ser. Não tente apressar o processo, porque a pressa mantém seu coração preso aos assuntos terrenos. Sou o Criador de todo o Universo, mas escolhi fazer minha humilde morada em seu coração. É lá que você me conhece intimamente; é lá que converso com você. Peça ao meu Espírito que sossegue sua mente, de modo que você possa ouvir *minha voz baixa e imóvel* dentro de você: palavras de vida, paz e amor. Sintonize seu coração para receber essas mensagens. *Entregue suas orações a mim e espere com expectativa.*

1Reis 19:12; Salmos 5:3

22 de setembro

CONFIE EM MIM e não se preocupe com nada, porque eu sou sua força e sua canção. Você acordou inseguro, olhando as dificuldades que se estendem à sua frente, medindo-as em relação à sua força. Mas essas não são tarefas do hoje – nem do amanhã. Assim, deixe-as no futuro e volte-se para o presente, onde estou à sua espera. Como *eu sou sua força*, posso ajudá-lo a lidar com cada tarefa à medida que ela surgir. Como *eu sou sua canção*, posso lhe dar alegria enquanto você caminha ao meu lado.

Continue focando sua mente no agora. Entre todas as minhas criações, somente os seres humanos podem se antecipar aos eventos futuros. Essa habilidade é uma bênção, mas pode se tornar uma maldição se for mal utilizada. Se você usar sua magnífica mente para se preocupar com o amanhã, acabará se escondendo sob o manto da descrença. Mas quando a esperança do paraíso preenche seus pensamentos, a luz da minha presença o envolve. Embora o paraíso seja futuro, é também presente. Ao andar ao meu lado, você tem um pé na Terra e outro no céu.

Êxodo 15:2; 2Coríntios 10:5; Hebreus 10:23

23 de setembro

CAMINHE AO MEU LADO na liberdade do perdão. O caminho pelo qual seguimos juntos às vezes é íngreme e escorregadio. Se você carrega o fardo da culpa nas costas, provavelmente vai tropeçar e cair. Mas, se me pedir, removerei sua carga pesada e a enterrarei aos pés da cruz. Quando carrego o seu fardo, você fica livre. Levante-se e não permita que ninguém coloque fardos sobre suas costas. Olhe para meu rosto e sinta o calor da luz do meu amor. Esse amor incondicional o liberta tanto dos medos quanto dos pecados. Entregue-se a mim. Quando você me conhece melhor, se torna ainda mais livre.

Salmos 68:19; 1João 1:7-9; 1João 4:18

24 de setembro

VIVA, ACIMA DE TUDO, NA MINHA PRESENÇA. Aos poucos você terá mais consciência de mim do que das pessoas e dos lugares ao seu redor. Essa consciência não o afastará dos outros – pelo contrário, ela aumentará sua capacidade de dar amor e incentivo a eles. Minha paz permeará suas palavras e seu comportamento. Você não se abalará facilmente, porque minha presença envolvente o protegerá do impacto dos problemas.

Este é o caminho que preparei para você. Ao segui--lo de todo o coração, você experimentará a vida e a paz.

Salmos 89:15-16;
Salmos 16:8; 2 Pedro 1:2

25 de setembro

GASTE TODA A SUA ENERGIA para confiar em mim. É por meio da confiança que permanecemos conectados e que você se mantém ciente da minha presença. Todos os passos de sua jornada podem ser dados com fé. Pequenos passos de confiança são simples e você pode dá-los quase sem perceber. Já os passos maiores são diferentes: saltar sobre abismos na escuridão, escalar rochedos de incertezas, atravessar *o vale da sombra da morte*. Esses feitos requerem muita concentração, além de confiança absoluta em mim.

Cada um dos meus filhos é uma combinação única de temperamento, talento e experiências de vida. O que é um pequeno passo para você pode ser um passo gigantesco para outra pessoa, e vice-versa. Apenas eu conheço a dificuldade ou a facilidade de cada trecho da sua jornada. Não critique aqueles que hesitam temendo algo que seria simples para você. Se cada um dos meus filhos procurasse me agradar acima de todas as coisas, o medo das críticas alheias desapareceria, assim como as tentativas de impressionar os outros. Concentre sua atenção no caminho que tem diante de si e em mim, que nunca saio do seu lado.

Salmos 23:4; Mateus 7:1-2;
Provérbios 29:25

26 de setembro

APROXIME-SE DE MIM E OUÇA! Sintonize a minha voz e receba minhas maiores bênçãos. Maravilhe-se diante do espetáculo de poder se comunicar com o Criador do Universo sentado no conforto do seu lar. Os humanos que se tornam reis de nações tendem a ser inacessíveis; pessoas comuns quase nunca conseguem uma audiência com eles. Até mesmo pessoas importantes precisam enfrentar protocolos a fim de falar com a realeza.

Ainda que eu seja o Rei do Universo, sou totalmente acessível a você. Estou ao seu lado onde quer que você esteja. Nada pode separá-lo da minha presença! Quando gritei da cruz: "Está consumado!", a cortina do templo foi dividida ao meio, de cima a baixo. Isso abriu o caminho para que você me conhecesse frente a frente, sem a necessidade de protocolos ou sacerdotes. Eu, o Rei dos reis, sou sua companhia mais constante.

Isaías 50:4; Isaías 55:2-3;
João 19:30; Mateus 27:50-51

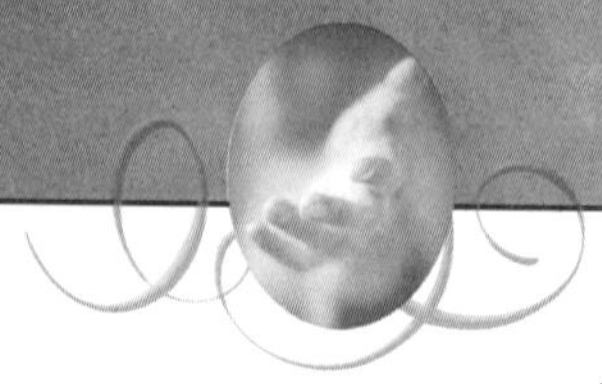

27 de setembro

RELAXE NOS MEUS BRAÇOS ETERNOS. Sua fraqueza é uma oportunidade de fortalecer sua consciência da minha presença. Quando lhe faltar energia, não a procure dentro de si nem lamente pelo vazio que encontrar lá. Olhe para mim e para os meus recursos; regozije-se com minhas riquezas, que existem em abundância para ajudá-lo.

Atravesse este dia calmamente, apoiando-se em mim. Agradeça-me por suas necessidades, pois elas constroem elos de confiança entre nós. Se você olhar para o passado, para sua jornada até agora, verá que os dias de maior fraqueza foram também seus momentos mais preciosos. As lembranças desses dias estão entrelaçadas com os fios de ouro da minha presença.

28 de setembro

ABRA SUA MENTE E SEU CORAÇÃO – o seu ser inteiro – para receber todo o meu amor. Muitos dos meus filhos passam pela vida carentes de amor porque não aprenderam a arte de receber. Esse é, em essência, um ato de fé: acreditar que o amo com um amor eterno e sem limites. A arte de receber é também uma disciplina: você precisa educar sua mente para confiar em mim.

Lembre-se de que o Maligno é o *pai da mentira.* Aprenda a reconhecer quando ele tentar invadir seus pensamentos. Uma das maneiras pelas quais ele o induz ao erro é minando sua confiança no meu amor incondicional. Lute contra tais mentiras! Não permita que elas fiquem sem questionamento. *Resista ao diabo no meu nome e ele fugirá de você. Aproxime-se de mim* e minha presença o envolverá no amor.

Efésios 3:16-19; Hebreus 4:14-16; João 8:44; Tiago 4:7-8

29 de setembro

ESTOU COM VOCÊ E AO SEU REDOR, envol-vendo-o em raios dourados de luz. Sempre o contemplo cara a cara. Nenhum de seus pensamentos me escapa. Como sou infinito, sou capaz de amá-lo como se eu e você fôssemos os únicos seres no Universo.

Caminhe ao meu lado em passos íntimos de amor, mas não ignore minha majestade. Quero ser seu melhor amigo, mas ainda sou seu Senhor soberano. Criei seu cérebro com a capacidade de me conhecer como amigo e mestre ao mesmo tempo. A mente humana é o ponto mais alto da minha criação, mas são poucos os homens que a usam para seu propósito original – me conhecer. Eu me comunico continuamente através do meu Espírito, da minha palavra e da minha criação. Apenas os seres humanos podem me receber e reagir à minha presença. Na verdade, você foi *feito de modo especial e admirável*!

Salmos 34:4-7; 2 Pedro 1:16-17;
João 17:3; Salmos 139:14

30 de setembro

ESTOU AO SEU LADO O TEMPO TODO, cuidando de você. Esse é o fato mais importante da sua existência. Não sou limitado pelo tempo e pelo espaço; minha companhia é uma promessa eterna. Você não precisa temer o futuro, porque já estou lá. Quando der o salto para a eternidade, me encontrará esperando no paraíso. Seu futuro está em minhas mãos e eu o libero a você aos poucos, dia após dia, momento após momento. Portanto, *não se preocupe com o amanhã*.

Quero que você viva este dia intensamente, vendo tudo o que há para ver, fazendo tudo o que há para fazer. Não se distraia com preocupações futuras. Deixe que eu me encarrego delas. Cada dia da sua vida é um presente glorioso, mas poucas pessoas sabem como viver dentro dos limites do hoje. Boa parte da energia delas é derramada sobre a linha do tempo, para dentro das preocupações do amanhã ou dos arrependimentos do passado. A energia que lhes resta é suficiente apenas para suportar o dia, sem vivê-lo plenamente. Eu o estou educando para que você se concentre na minha existência no presente. É assim que se recebe a vida abundante, que flui livremente do meu trono da graça.

Mateus 6:34; João 10:10; Tiago 4:13-15

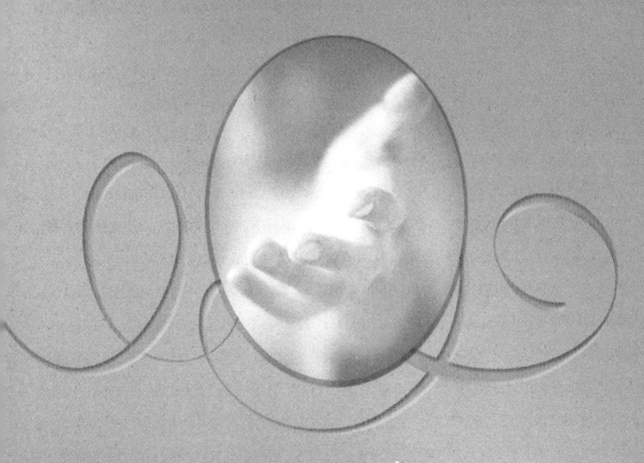

Outubro

"Venham a mim, todos os que
estão cansados e sobrecarregados,
e eu darei descanso a vocês."

MATEUS 11:28

1º de outubro

ADORE SOMENTE A MIM. Eu sou o *Rei dos reis e Mestre dos mestres, habitando uma inconcebível luz.* Estou comprometido em cuidar de você e sou totalmente capaz de fazer isso. Descanse em mim, meu filho cansado, porque essa é uma forma de adoração.

Ainda que a autoflagelação não seja mais um hábito comum, muitos dos meus filhos se açoitam como se fossem cavalos de corrida. Eles se chicoteiam se forçando a agir, ignorando sua própria exaustão. Esquecem-se de que sou soberano e que *meus caminhos são mais elevados* do que os deles. Por isso, talvez se ressintam secretamente de mim, como se eu fosse um capataz severo. A adoração deles é morna, porque já não sou seu *primeiro amor.*

Meu convite jamais se altera: *Venham a mim, todos os que estão cansados e sobrecarregados, e eu darei descanso a vocês.* Adore-me descansando em paz na minha presença.

1Timóteo 6:15-16; Isaías 555:8-9; Apocalipse 2:4; Mateus 11:28

2 de outubro

RECONHEÇA O VALOR da minha proximidade. Maravilhe-se diante do espetáculo da minha presença contínua com você. Nem mesmo o amante mais apaixonado pode estar ao seu lado o tempo todo, assim como ninguém pode conhecer os segredos do seu coração, da sua mente e do seu espírito. Mas *sei tudo sobre você – até quantos fios de cabelo você tem na cabeça*. Você não precisa se esforçar para se revelar a mim.

Muitas pessoas passam a vida em busca de alguém que as entenda. Mas estou totalmente disponível a todos que chamam meu nome, que abrem o coração para me receber como salvador. Esse simples gesto de fé é o início de uma história de amor. Eu, o protetor da sua alma, entendo-o perfeitamente e o amarei por toda a eternidade.

Lucas 12:7; João 1:12; Romanos 10:13

3 de outubro

QUANDO MUITAS COISAS parecerem estar erradas, confie em mim. Quando sentir que sua vida está fora de controle, agradeça-me. Essas são reações sobrenaturais que podem afastá-lo dos problemas. Se sua resposta às dificuldades for diferente disso, você se torna presa fácil do negativismo. Até mesmo o hábito de reclamar pode levá-lo a uma espiral descendente, que obscurece sua perspectiva e seu raciocínio. Se essa atitude o controla, as reclamações fluem cada vez mais da sua boca. E elas o empurram mais e mais para dentro dessa espiral escorregadia. Quanto mais baixo você chega, mais rápido cai; mas é possível frear esse movimento. Chame por mim dizendo meu nome! Reafirme sua confiança em mim, independentemente de como você se sinta. Agradeça-me por tudo, por mais que isso pareça artificial, ou até irracional. Aos poucos você começará a subir.

Quando estiver novamente em terra firme, poderá encarar seus problemas de uma perspectiva mais humilde. Se você optar por ter reações sobrenaturais – confiando em mim e me agradecendo –, experimentará minha incomensurável paz.

Salmos 13:5; Efésios 5:20

4 de outubro

SOU O CRIADOR DO CÉU E DA TERRA: senhor de tudo o que existe e de tudo o que existirá. Ainda que eu seja inimaginavelmente vasto, escolhi morar dentro de você, preenchendo-o com a minha presença. Somente no reino espiritual é que um ser tão infinitamente grandioso pode viver dentro de alguém tão pequenino. Maravilhe-se pelo poder e a glória do meu Espírito em você!

Embora o Espírito Santo seja infinito, ele se permite ser seu ajudante. Está sempre pronto para lhe oferecer auxílio; tudo o que você precisa fazer é pedir. Quando o caminho parecer simples e direto, você talvez se sinta tentado a prosseguir sozinho em vez de contar comigo. É nesse momento que você mais correrá o perigo de tropeçar. Peça ao meu Espírito que o ajude a cada passo de sua jornada. Nunca ignore essa gloriosa fonte de força dentro de você.

5 de outubro

LEMBRE-SE DE QUE a alegria não depende das suas circunstâncias. Algumas das pessoas mais infelizes do mundo são aquelas cuja situação parece mais invejável aos olhos dos outros. A verdadeira alegria resulta de uma vida na minha presença. Ou seja, você pode vivenciá-la em qualquer lugar: em palácios ou prisões.

Não considere que um dia está sem alegria só porque ele apresenta dificuldades. Ao contrário, concentre-se em permanecer em comunicação comigo. Muitos dos problemas aos quais você dá atenção se resolvem sozinhos. Haverá outros com os quais você precisará lidar, mas o ajudarei. Se você tornar a resolução dos problemas algo menos importante do que o objetivo de viver perto de mim, poderá encontrar a alegria até mesmo nos dias mais difíceis.

Habacuque 3:17-19; 1Crônicas 16:27

6 de outubro

ESTEJA DISPOSTO A ME SEGUIR aonde quer que o leve. Siga-me com todo o coração. Ainda que você não saiba o que está à sua frente, eu sei, e isso basta! Algumas das minhas maiores bênçãos estão logo depois da próxima curva: escondidas, mas mesmo assim bem reais. Para receber essas dádivas, você deve *andar pela fé – não pelo que vê.* Isso não significa fechar os olhos para o que o cerca. Significa subordinar o mundo visível ao pastor invisível da sua alma.

Às vezes o levo até o alto de uma montanha, segurando-o apenas pela minha mão. Quanto mais alto você sobe, mais espetacular é a vista, e também maior é seu distanciamento do mundo e seus problemas. Isso o deixa livre para vivenciar plenamente a realidade alegre da minha presença. Em algum momento, o conduzirei montanha abaixo, de volta para sua comunidade. Permita que eu continue a brilhar no seu coração enquanto você caminha em meio às pessoas novamente.

2Coríntios 5:7; Salmos 96:6;
João 8:12; Salmos 36:9

7 de outubro

PARA OUVIR MINHA VOZ, você deve entregar todas as suas preocupações aos meus cuidados. Confie a mim tudo o que o aflige. Essa atitude abre caminho para que você procure meu rosto. Deixe-me libertá-lo do medo que está escondido nas profundezas do seu ser. Sente-se em silêncio na minha presença, permitindo que a minha luz penetre e expulse toda a escuridão acumulada dentro de você. Aceite cada dia exatamente como ele se apresenta, lembrando-se de que sou soberano sobre sua vida. Alegre-se *neste dia que eu criei*, confiando que estou presente nele. Em vez de lamentar pelo modo como as coisas são, *dê graças em todas as circunstâncias*. Confie em mim e não tema; agradeça-me e descanse no meu poder supremo.

1Pedro 5:6-7; Salmos 118:24;
1Tessalonicenses 5:18

8 de outubro

EU O AMO COM AMOR ETERNO. A mente humana não é capaz de compreender minha fidelidade. Suas emoções são instáveis e variam de acordo com as circunstâncias, e você tende a projetar suas dúvidas em mim. Assim, você não se beneficia completamente do meu amor infalível.

Olhe para além dos problemas e descubra-me vigiando-o com ternura. A consciência da minha presença o fortalece quando você recebe e reage ao meu amor. *Sou o mesmo ontem, hoje e para sempre!* Deixe que esse amor flua para dentro de você continuamente. Sua necessidade de mim é tão constante quanto o fluxo do meu amor para você.

9 de outubro

Você tem atravessado uma longa jornada montanha acima, e sua energia está quase no fim. Apesar de ter cometido várias falhas, nunca soltou a minha mão. Fico feliz com seu desejo de permanecer perto de mim. Mas há uma coisa que me desagrada: sua mania de reclamar. Você pode ficar à vontade para conversar comigo sobre as dificuldades do caminho que estamos seguindo. Eu entendo melhor do que qualquer um o estresse e a tensão que o abatem. Você pode discutir em segurança comigo, pois isso acalma seus pensamentos e o ajuda a ver as coisas do meu ponto de vista.

Reclamar para os outros é algo bem diferente. Essa atitude abre as portas para pecados mortais, como a autocomiseração e a raiva. Sempre que se sentir tentado a resmungar, aproxime-se de mim e desabafe. Enquanto você se abre, coloco meus pensamentos na sua mente e minha melodia no seu coração.

Jeremias 31:25; Filipenses 2:14-15

10 de outubro

CONFIE EM MIM e deixe que as coisas aconteçam sem tentar prevê-las ou controlá-las. Relaxe e se renove na luz do meu amor eterno. Meu amor-luz nunca enfraquece, mas mesmo assim você geralmente não percebe minha presença. Quando você projeta o futuro, está tentando ser autossuficiente. Este é um pecado sutil – tão comum que costuma passar despercebido.

A alternativa é viver completamente no presente, dependendo de mim a cada momento. Em vez de temer sua inadequação, alegre-se com meus recursos abundantes. Eduque sua mente para pedir a minha ajuda sempre, mesmo quando você se sentir capaz de lidar com algo sozinho. Não divida sua vida em coisas que você pode fazer por si só e coisas que precisam da minha ajuda. Em vez disso, aprenda a contar comigo em todas as situações. Essa prática permitirá que aproveite mais a vida e encare todos os dias com confiança.

Salmos 37:3-6; Filipenses 4:19

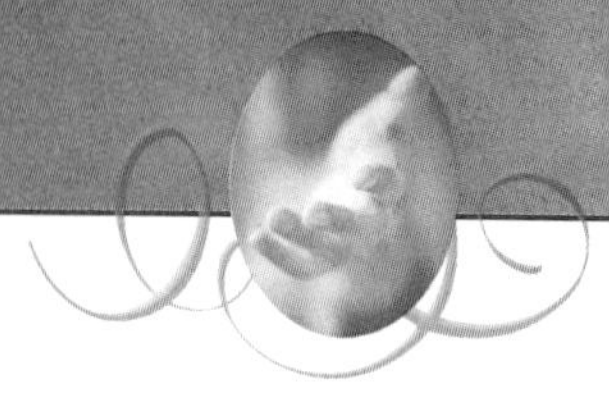

11 de outubro

EU SOU A REALIZAÇÃO de todas as suas esperanças e de todos os seus desejos. *Sou o Alfa e o Ômega, o Primeiro e o Último; o que foi, o que* é e o que está por vir. Antes que você me conhecesse, já expressava sua busca por mim de maneira sofrida. Estava sempre tão vulnerável ao mal ao seu redor! Mas agora a minha presença o protege com segurança, envolvendo-o em meus braços amorosos. Eu *o chamei das trevas para minha maravilhosa luz.*

Por mais que eu tenha levado prazeres à sua vida, nenhum deles é essencial. Receba minhas bênçãos com as mãos abertas. Aproveite minhas dádivas, mas não se apegue a elas. Volte sua atenção para o doador de todas as coisas boas e descanse sabendo que está completo. A única coisa de que você realmente precisa é aquilo que nunca vai perder: minha presença ao seu lado.

Salmos 62:5-8; Apocalipse 1:8;
1Pedro 2:9; Tiago 1:17

12 de outubro

TOME CUIDADO AO SE VER através do olhar alheio. Essa é uma prática perigosa. Primeiro, é quase impossível saber o que os outros realmente pensam sobre você. Além disso, as opiniões deles são variáveis: estão sujeitas à condição espiritual, emocional e física de cada um. Deixar que os outros o definam é um hábito que beira a idolatria. Sua preocupação em agradar as pessoas supera seu desejo de agradar a mim, seu Criador.

É muito melhor se ver através dos *meus olhos*. Meu olhar sobre você é estável e preciso, imaculado pelo pecado. Sob o meu ponto de vista, você pode se enxergar como alguém profundamente amado. Descanse no meu olhar e receba a paz eterna. Reaja à minha adorável presença *me adorando em espírito e em verdade.*

Hebreus 11:6; João 4:23-24

13 de outubro

RESERVE ALGUM TEMPO para ficar tranquilo na minha presença. Quanto mais incomodado você se sentir, mais vai precisar desse momento sagrado de comunhão comigo. Respire lenta e profundamente. Relaxe enquanto *meu rosto brilha sobre você*. É assim que você recebe a paz que sempre lhe prometi.

Imagine a dor que sinto quando meus filhos prendem a si mesmos com nós de ansiedade, ignorando a dádiva da paz. Morri como um criminoso para lhe garantir essa bênção. Receba-a com gratidão; guarde-a no coração. Minha paz é um tesouro íntimo, que cresce dentro do seu ser à medida que você confia em mim. As circunstâncias, portanto, não podem nada contra ela. Fique imóvel, aproveitando a paz na minha presença.

Salmos 46:10; Números 6:25-26

14 de outubro

ESTEJA PREPARADO PARA sofrer por mim, em meu nome. Todo sofrimento tem um significado no meu reino. A dor e os problemas são oportunidades para demonstrar sua confiança em mim. Superar obstáculos com bravura – até mesmo me agradecendo por eles – é uma das formas mais elevadas de louvor. Esse sacrifício da gratidão faz com que sinos de ouro de alegria soem por todos os reinos celestiais.

Quando o sofrimento se abater sobre você, lembre-se de que sou soberano e que posso extrair coisas boas de todas as situações. Não tente fugir do sofrimento nem se esconder dos problemas. Em vez disso, aceite a adversidade em meu nome, oferecendo-a a mim, para que eu realize meus objetivos. Assim, a alegria emergirá das cinzas das adversidades, por meio da sua confiança e gratidão.

Tiago 1:2-4; Salmos 107:21-22

15 de outubro

Tente permanecer consciente de mim à medida que avançar por este dia. Minha presença ao seu lado é uma promessa e uma proteção. Minha última declaração antes de ascender aos céus foi: *eu estarei sempre com vocês.* Essa promessa foi feita a todos os meus seguidores, sem exceção.

Ao longo da vida, você encontra vários obstáculos. Muitas vozes clamam por sua atenção, seduzindo-o a seguir na direção delas. A poucos passos de distância da sua trilha há poços de autocomiseração e desespero e planaltos de orgulho e teimosia. Se você tirar os olhos de mim e seguir o caminho de outra pessoa, estará em grande perigo. Até mesmo amigos bem-intencionados podem levá-lo à ruína se você deixá-los ocupar meu lugar em sua vida. A única maneira de permanecer no caminho da vida é manter sua atenção em mim. A consciência da minha presença é sua melhor proteção.

Mateus 28:20; Hebreus 12:1-2

16 de outubro

PROCURE POR MIM o tempo todo para ajudá-lo, confortá-lo e lhe fazer companhia. Como estou sempre ao seu lado, o menor olhar seu é capaz de conectá-lo a mim. Quando você busca meu auxílio, ele flui livremente da minha presença. Reconhecer que precisa de mim – para os assuntos simples e complicados – o mantém vivo espiritualmente.

Quando você precisa de conforto, envolvo-o nos meus braços com amor e alegria. Eu permito não só que você se sinta confortado, como também se transforme em um canal através do qual conforto outras pessoas. Assim você é duplamente abençoado, porque um canal vivo absorve o que quer que flua por meio dele.

Minha companhia constante é a *pièce de résistance:* o ápice das bênçãos de salvação. Não importa quais perdas você tenha vivido, ninguém pode lhe tirar esse presente glorioso.

Salmos 34:4-6; Salmos 105:4;
2Coríntios 1:3-4

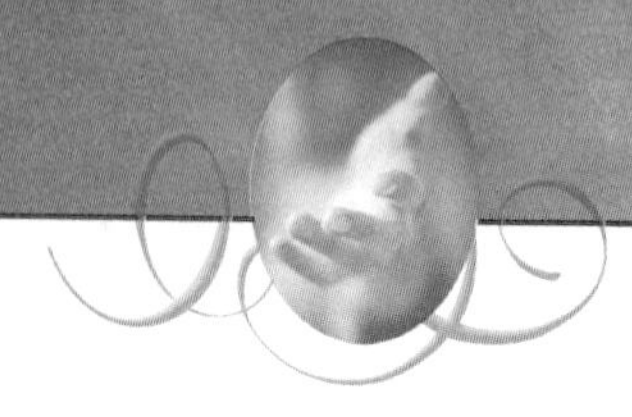

17 de outubro

A ANSIEDADE É O RESULTADO de tentar antever o futuro sem mim. Assim, a melhor defesa contra as preocupações é permanecer em comunicação comigo. Quando você me entrega seus pensamentos, vê as coisas com mais otimismo. Lembre-se de falar e ouvir mantendo sua mente conectada a mim.

Se você precisar refletir sobre eventos futuros, siga estas regras: 1) Não se detenha no dia de amanhã, porque a ansiedade se prolifera excessivamente quando você vagueia por lá. 2) Lembre-se da promessa da minha presença contínua e inclua-me em qualquer imagem que lhe venha à cabeça. Essa prática mental não se adquire facilmente, porque você está acostumado a ser o deus das próprias fantasias. No entanto, a realidade da minha presença supera qualquer fantasia que você possa ter.

Lucas 12:22-26; Efésios 3:20-21

18 de outubro

ATRAVESSE CALMAMENTE ESTE DIA, mantendo seus olhos em mim. Eu abrirei o caminho à sua frente. Às vezes a estrada vai parecer bloqueada. Se você prestar muita atenção ao obstáculo ou procurar uma maneira de contorná-lo, provavelmente se perderá. Então, em vez de fazer isso, concentre-se em mim, o pastor que o conduz pela estrada da vida. Antes que perceba, o "obstáculo" ficará para trás e você mal saberá como passou por ele.

Esse é o segredo do sucesso no meu reino. Por mais que você permaneça ciente do mundo visível ao seu redor, sua consciência principal diz respeito a mim. Quando seu caminho apresentar dificuldades, confie em mim para ajudar a atravessá-lo. Minha presença permite que você encare cada dia com confiança.

João 10:14-15; Isaías 26:7

19 de outubro

Aproxime-se de mim de peito aberto, pronto para ser abençoado e preenchido pela minha presença. Relaxe e sinta o alívio de estar totalmente aberto a mim e de poder ser autêntico comigo. Você não tem nada a esconder ou a justificar, porque já sei tudo a seu respeito. Não há nenhum outro relacionamento como esse.

Uma das piores consequências da Queda é a intrincada barreira que as pessoas erguem entre elas e os outros. No mundo há muitas fachadas, até mesmo na igreja. Às vezes a igreja é o último lugar onde as pessoas se sentem livres para ser autênticas. Elas se vestem com roupas e sorrisos de domingo. Sentem-se aliviadas quando saem do templo por causa da tensão das amizades falsas. O melhor antídoto contra a artificialidade é praticar a minha presença. Deixe que seu foco principal seja se comunicar comigo, me adorar e me glorificar. Então você conseguirá sorrir para os outros com a minha alegria e amá-los com meu amor.

1João 1:5-7; Êxodo 33:14;
Filipenses 4:8-9

20 de outubro

SOU SEU DEUS VIVO, muito mais vivo do que a pessoa mais cheia de entusiasmo que você conheça. O corpo humano é uma maravilha da criação, mas a gravidade e os efeitos inevitáveis da idade o tornam decadente. Nem mesmo o melhor atleta do mundo pode se manter em forma durante muitas décadas. A vida abundante e duradoura só pode ser encontrada em mim. Não lamente a fragilidade do seu corpo. Ao contrário, veja-a como um prelúdio para minha infusão de energia dentro do seu ser.

Quanto mais você se identifica comigo, mais minha vida se entremeia à sua. Ainda que o processo de envelhecimento continue, com o passar dos anos você se fortalece por dentro. Aqueles que vivem perto de mim desenvolvem uma vivacidade que os torna jovens apesar da idade. Deixe que a minha vida brilhe no seu interior enquanto você *caminha na luz* ao meu lado.

Salmos 139:14; Colossenses 1:29;
1João 1:7

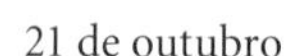

21 de outubro

PARA VIVER NA MINHA PRESENÇA consistentemente, você precisa expor e expulsar suas tendências rebeldes. Quando algo interfere nos seus planos, você costuma ficar chateado. Tome consciência de cada ressentimento, por menor que ele pareça. Não reprima sensações desagradáveis; em vez disso, deixe-as subir até a superfície, onde você pode lidar com elas. Tenha consciência delas. Traga-as com coragem à luz da minha presença, de modo que eu possa afastá-las.

A solução para essa tendência à rebeldia é a submissão à minha autoridade. Intelectualmente, você se regozija com minha soberania, sem a qual o mundo seria um lugar aterrorizante. Mas, quando ela invade o pequeno território sob seu controle, você reage com agressividade.

A melhor reação às perdas ou às esperanças desfeitas é a oração: *O SENHOR o deu, o SENHOR o levou: louvado seja o nome do SENHOR*. Lembre-se de que todas as coisas boas – seus bens, sua família e seus amigos, sua saúde e seu talento, seu tempo – são presentes que eu lhe dei. Em vez de se sentir no direito de recebê-las, seja grato por cada uma delas. Prepare-se para abdicar de tudo o que eu quiser tirar de você, mas nunca solte minha mão!

Salmos 139:23-24; 1Pedro 5:6; Jó 1:21

22 de outubro

NÃO IMPORTAM QUAIS sejam as circunstâncias, você sempre pode encontrar alegria na minha presença. Às vezes, a alegria é distribuída generosamente, reluzindo radiante na estrada da sua vida. Nesses dias, contentar-se é tão simples quanto respirar ou dar o próximo passo. Outras vezes os dias são nublados e sombrios; você sente o peso da sua jornada, que parece infinita. Rochas acinzentadas atraem seu olhar e causam dores em seus pés. Mas ainda assim é possível se alegrar. *Busque isso como quem busca um tesouro escondido.*

Antes de tudo, lembre-se de que criei este dia e que nada acontece por acaso. Eu estou presente ao seu lado, quer você sinta minha presença, quer não. Depois, comece a conversar comigo sobre o que estiver passando em sua mente. Alegre-se com o fato de ser completamente compreendido. Ao se comunicar comigo, seu humor aos poucos melhorará. A consciência da minha companhia pode derramar alegria sobre o mais triste dos dias.

Salmos 21:6; Provérbios 2:4

23 de outubro

Quando voltar sua atenção para mim, sentirá a luz da minha presença brilhando sobre você. Abra sua mente e seu coração para receber meu sorriso de aprovação. Deixe que meu amor o purifique e se infiltre até as profundezas do seu ser. Quanto mais você se encher com o meu ser, mais intensamente vivenciará a união comigo. Eu *em você e você em mim*. Sua alegria-em-mim e minha alegria-em-você se entrelaçam e se tornam inseparáveis. Eu cubro sua alma de alegria. À *minha* mão direita há prazeres eternos.

João 17:20-23; Salmos 16:11

24 de outubro

REPOUSE EM VERDES PASTAGENS DE PAZ. Aprenda a se libertar sempre que possível, descansando na presença do seu pastor. Esta Era Eletrônica mantém meus filhos "conectados" durante boa parte do tempo, ocupados demais para me encontrarem em meio a seus afazeres. Eu incluí na sua essência a necessidade de descanso. Que estranho é o mundo onde as pessoas se sentem culpadas por satisfazerem sua necessidade mais básica! Quanto tempo e energia desperdiçam estando sempre em movimento, em vez de reservarem um momento para procurar as orientações que dou para suas vidas.

Eu o convidei para andar ao meu lado por *caminhos de paz*. Preciso que você indique a direção certa para aqueles que desejam viver na minha presença. Eu o escolhi menos por suas qualidades e mais por suas fraquezas, que aumentam a sua necessidade de mim. Tenha fé e derramarei a paz em todos os seus caminhos.

Salmos 23:13;
Gênesis 2:2-3; Lucas 1:79

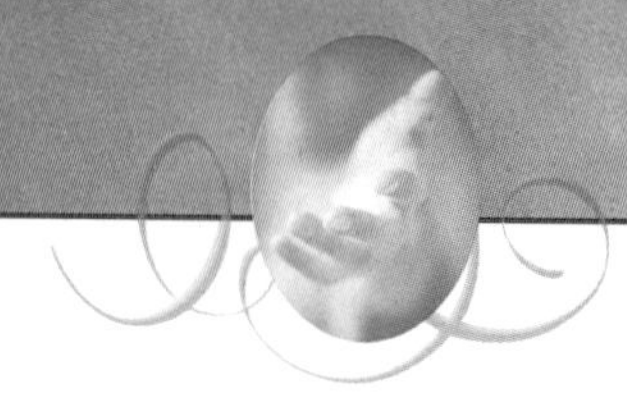

25 de outubro

EU SOU O DEUS COM VOCÊ, para sempre e por toda a eternidade. Não permita que sua familiaridade com esse conceito diminua o impacto dele na sua consciência. Minha eterna presença ao seu lado pode ser uma fonte contínua de alegria, florescendo e fluindo em rios de vida abundante. Deixe sua mente reverberar com os significados dos meus nomes: Jesus, *o Senhor que salva*, e Emanuel, *o Deus conosco.* Esforce-se para permanecer consciente de mim até mesmo nos momentos em que você estiver mais ocupado. Converse comigo sobre o que o alegra, o que o irrita ou qualquer outra coisa que passe pela sua cabeça. Esses pequenos passos de disciplina diária, dados um após o outro, o manterão perto de mim na estrada da vida.

Mateus 1:21,23; Atos 2:28

26 de outubro

APROXIME-SE DE MIM quando estiver sofrendo e aliviarei sua dor. Aproxime-se de mim quando estiver alegre e compartilharei sua alegria, multiplicando-a muitas vezes. Sou tudo de que você precisa, principalmente quando você mais necessita. Seus desejos mais profundos encontram satisfação somente em mim.

Você vive na Era da Autoajuda. As livrarias estão cheias de livros sobre como "cuidar de si mesmo", transformando as pessoas no centro de todas as coisas. O principal objetivo dessas obras é torná-lo autossuficiente e confiante. Você, contudo, foi convidado a pegar "a estrada menos percorrida", aquela da dependência contínua em mim. A verdadeira autoconfiança surge quando você descobre que está completo ao meu lado.

27 de outubro

À MEDIDA QUE VOCÊ FICA mais consciente da minha presença, torna-se mais fácil descobrir que caminho seguir. Em vez de se preocupar com o que há na estrada à sua frente ou com o que deveria fazer diante de determinada circunstância, você pode se concentrar na comunicação comigo. Quando realmente chegar a uma encruzilhada, lhe mostrarei que direção seguir.

Muitas pessoas estão tão preocupadas com o futuro que não enxergam as decisões que devem tomar hoje. E, sem perceber, acabam fazendo sempre as mesmas escolhas. Assim, o tédio se instala e elas vivem como sonâmbulas, seguindo trilhas gastas pela rotina.

Eu, o Criador do Universo, nunca o deixarei andar em círculos. Ao contrário, o guiarei por avenidas novas, revelando-lhe coisas que você não sabia. Permaneça se comunicando comigo. Siga minha presença orientadora.

Salmos 32:8; Gênesis 1:1

28 de outubro

NÃO ESPERE SER TRATADO com justiça nesta vida. As pessoas dirão e farão coisas horríveis, coisas que você não merece. Quando alguém o tratar mal, tente encarar isso como uma oportunidade para amadurecer. Você é capaz de perdoar quem o magoa. Não se preocupe em consertar as coisas. Em vez de ficar obcecado pela opinião dos outros, mantenha-se centrado em mim. No fim, é a *minha opinião* que importa.

Ao se concentrar na sua relação comigo, lembre-se de que *o vesti com meu manto da justiça* e santidade. Eu o vejo usar esses trajes reluzentes que comprei com meu sangue. Quando os outros o tratarem de forma injusta, lembre-se de que minha maneira de lidar com você vai além da justiça. Meus caminhos são a paz e o *amor, que derramei em seu coração por meio do meu Espírito.*

Colossenses 3:13; Isaías 61:10;
Efésios 1:7-8; Romanos 5:5

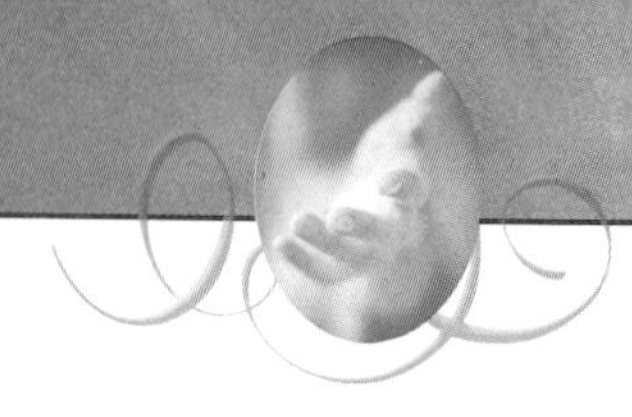

29 de outubro

Demore-se na minha presença por algum tempo. Contenha seus impulsos de se lançar nas atividades diárias. Começar seu dia a sós comigo é uma preparação essencial para o sucesso. Os grandes atletas reservam um tempo para se preparar mentalmente para a competição antes de mover um único músculo. Do mesmo modo, ficar ao meu lado lhe dá todas as condições para atravessar os desafios que você tem pela frente. Só eu sei o que acontecerá neste dia. Fui eu que organizei os eventos com os quais você vai se deparar ao longo do caminho. Se você não estiver adequadamente equipado para sua jornada, *ficará cansado e desanimado.* Relaxe comigo enquanto o preparo para a ação.

Efésios 2:10; Hebreus 12:3

30 de outubro

EU ESTOU COM VOCÊ. *Eu estou com você. Eu estou com você.* Os sinos do paraíso repetem o tempo todo a promessa da minha presença. Algumas pessoas jamais ouvem tais sinos porque suas mentes estão presas à Terra e seus corações estão fechados para mim. Outras ouvem os sinos somente uma ou duas vezes na vida, nos raros momentos em que me procuram. Desejo que minhas ovelhas ouçam minha voz o tempo todo, porque *eu sou o bom pastor sempre presente.*

Para ouvir minha voz, fique em silêncio. Os iniciantes precisam ir a um lugar tranquilo para conter suas mentes. À medida que você evoluir nessa prática, aprenderá a levar essa quietude para onde for. Quando voltar para o mundo real, esforce-se para continuar ouvindo meus gloriosos sinos, dizendo: *eu estou com você. Eu estou com você. Eu estou com você.*

31 de outubro

APRENDA A ME OUVIR mesmo enquanto estiver ouvindo outras pessoas. Quando elas se abrirem, você estará em *solo sagrado.* Meu Espírito o ajudará a reagir de maneira apropriada. Peça-me para pensar através de você, viver através de você, amar através de você. Meu próprio ser está vivo dentro de você, na pessoa do Espírito Santo.

Se você reagir às necessidades alheias usando seus pensamentos precários, terá apenas migalhas a oferecer. Quando meu Espírito fortalece sua capacidade de ouvir e falar, *meus rios de água viva fluem* através de você para outras pessoas. Torne-se um canal de amor, alegria e paz, ouvindo-me enquanto ouve os outros.

Êxodo 3:5; 1Coríntios 6:19;
João 7:38-39

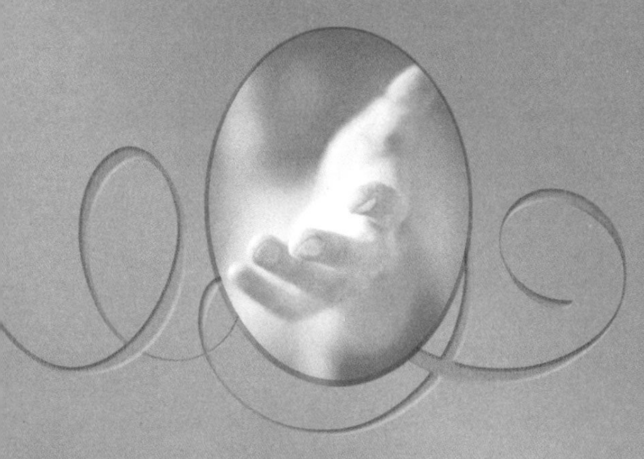

Novembro

"O meu Deus suprirá todas as necessidades de vocês, de acordo com as suas gloriosas riquezas em Cristo Jesus."

FILIPENSES 4:19

1º de novembro

NÃO SE DEIXE ABATER PELA DIFICULDADE de manter o foco em mim. Eu sei que, no seu coração, seu desejo é perceber minha presença o tempo todo. Mas esse é um objetivo fadado ao fracasso: você mira nele, mas nunca consegue realizá-lo completamente. Não deixe que a sensação de fracasso o desencoraje. Em vez disso, tente se ver como o vejo. Eu me alegro por sua vontade de andar perto de mim. Fico feliz quando você inicia uma comunicação comigo. Além do mais, noto o progresso que você fez desde que resolveu viver na minha presença pela primeira vez.

Se você notar que sua mente se afastou de mim, não se alarme nem se surpreenda. Você vive num mundo que foi manipulado para distraí-lo. Sempre que atravessa com dificuldades essas grandes distrações para se comunicar comigo, sai vitorioso. Deleite-se com esses pequenos triunfos e eles iluminarão cada vez mais seus dias.

2 de novembro

FORTALEÇA-SE NA LUZ DA MINHA PRESENÇA. Sua fraqueza não me repele; pelo contrário, ela atrai o meu poder, que está sempre disponível para fluir para dentro de um coração ansioso. Não se condene por sua necessidade constante de ajuda. Aproxime-se de mim demonstrando sua carência e deixe que a luz do meu amor o preencha.

Um coração ardente não lamenta nem se rebela quando as coisas ficam difíceis. Ele ostenta a coragem para me agradecer até mesmo nos momentos mais complicados. Entregar-se à minha vontade é uma prova definitiva de fé. *Na quietude e na confiança está o seu vigor.*

Salmos 116:5-7;
Efésios 5:20; Isaías 30:15

3 de novembro

TODAS AS VEZES QUE ALGO FRUSTRAR seus planos ou desejos, lembre-se de se comunicar comigo. Essa prática traz vários benefícios. O primeiro é óbvio: esse contato o abençoa e reforça nossa relação. Outra vantagem é que as decepções, em vez de o deprimirem, são transformadas em oportunidades de crescimento. Essa transformação remove o ferrão das circunstâncias difíceis, possibilitando que a alegria apareça em meio à adversidade.

Comece praticando esse exercício quando passar pelas decepções mais banais do dia a dia. Em geral, são os pequenos obstáculos que o afastam da minha presença. Quando você transforma problemas em oportunidades, descobre que ganha mais do que perde. Só depois de muito treinamento é que você consegue aceitar grandes perdas de um modo positivo. Mas é possível aprender a pensar como o apóstolo Paulo, que escreveu: "Considero tudo como perda, comparado com a suprema grandeza do conhecimento de Cristo Jesus, meu Senhor."

Colossenses 4:2; Filipenses 3:7-8

4 de novembro

CAMINHE PACIFICAMENTE COMIGO HOJE. Você está se perguntando como vai lidar com tudo o que se espera de você. Então, saiba que deve atravessar este dia como qualquer outro: um passo de cada vez. Em vez de planejar como fará isto ou aquilo, mantenha sua mente na minha presença e concentre-se em dar o próximo passo. Quanto mais complicado for o seu dia, maior será a minha ajuda. Tempos difíceis o despertam e o fazem ter consciência da necessidade de estar ao meu lado.

Quando você não souber o que fazer, espere até que eu lhe abra o caminho. Acredite que sei o que estou fazendo e esteja preparado para seguir minhas instruções. *Eu lhe darei força e lhe darei a bênção da paz.*

Êxodo 33:14; Deuteronômio 33:25;
Salmos 29:11

5 de novembro

VOCÊ PODE VIVER TÃO PERTO de mim quanto quiser. Eu não estabeleço barreiras entre nós, tampouco derrubo as que você ergue.

As pessoas costumam pensar que seus problemas determinam a qualidade da vida que levam, por isso desperdiçam energia tentando controlar as situações. Ficam felizes quando as coisas vão bem e frustradas quando não saem como esperavam. Raramente questionam a relação entre as circunstâncias e os sentimentos. Ainda assim, é possível viver contente em toda e qualquer situação.

Dedique-se mais a confiar em mim e a aproveitar a minha presença. Não deixe que seu bem-estar dependa das circunstâncias. Em vez disso, associe sua alegria às minhas preciosas promessas:

Pois estou convencido de que nem morte nem vida, nem anjos nem demônios, nem o presente nem o futuro, nem quaisquer poderes, nem altura nem profundidade, nem qualquer outra coisa na criação será capaz de nos separar do amor de Deus que está em Cristo Jesus, nosso Senhor.

Filipenses 4:12; Gênesis 28:15;
Filipenses 4:19; Romanos 8:38-39

6 de novembro

PROCURE ME AGRADAR acima de todas as coisas. Haverá muitas bifurcações no caminho ao longo deste dia. Assim, você precisa de um princípio básico que o ajude a fazer boas escolhas. Muitas pessoas baseiam suas decisões na combinação de suas respostas habituais e do desejo de agradar os outros ou a si mesmas. Mas isso não é o que espero de você. Esforce-se para me agradar sempre, não apenas quando estiver diante de grandes questões. Isso só é possível quando você vive em comunhão comigo. Se a minha presença é a sua maior alegria, você saberá o que vai me deixar feliz. Basta dar uma *olhada* rápida em mim e terá tudo de que precisa para tomar a atitude certa. *Deleite-se em mim* e busque o meu prazer em tudo o que você fizer.

João 8:29; Hebreus 11:5-6; Salmos 37:4

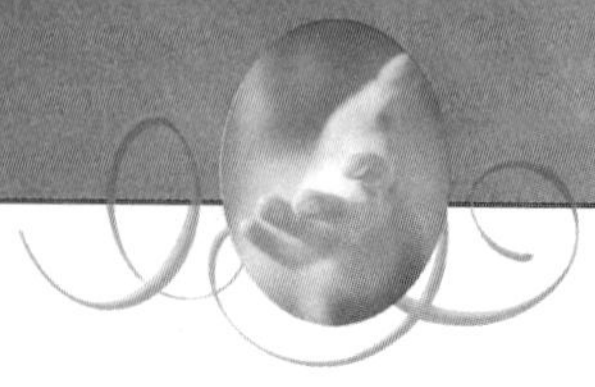

7 de novembro

ADORE-ME NA BELEZA DA SANTIDADE. Toda beleza reflete um pouco quem sou. Estou operando minhas obras em você – sou o artista divino criando a beleza dentro do seu ser. Minha principal função é limpar os destroços e a bagunça, abrindo espaço para que meu Espírito se aposse de sua vida. Colabore comigo nesse esforço, abdicando de tudo o que eu escolher tirar de você. Sei do que você precisa e prometo lhe dar tudo isso. E com abundância!

Sua sensação de segurança não deve se basear em bens materiais ou no seu controle sobre as coisas. Eu o estou educando para depender somente de mim e encontrar satisfação na minha presença. Isso significa que você precisa se satisfazer tanto com o muito quanto com o pouco, aceitando *ambos* como a minha vontade para o momento. Em vez de se apegar e controlar, você vai aprender a se desapegar e a receber. Cultive essa postura receptiva confiando em mim em todas as situações.

Salmos 29:2; 27:4

8 de novembro

APRENDA A APRECIAR OS DIAS DIFÍCEIS. Sinta-se estimulado pelos desafios que encontrar pelo caminho. Ao avançar por terrenos acidentados ao meu lado, você vai descobrir que, juntos, podemos lidar com qualquer coisa. Essa compreensão é composta por três elementos: nossa relação, as promessas contidas na Bíblia e as experiências ruins das quais você saiu vencedor.

Olhe para o seu passado e veja que já o ajudei a enfrentar diversos obstáculos. Se diante dessa afirmação você pensa "Sim, mas isso foi antes, agora é diferente", lembre-se de quem sou! Por mais que você e as circunstâncias tenham mudado drasticamente, *eu permaneço o mesmo* por toda a eternidade. Essa é a base da sua confiança. Na minha presença *você vive, e se move, e existe.*

Isaías 41:10; Salmos 102:27; Atos 17:28

9 de novembro

SENTE-SE EM SILÊNCIO AO MEU LADO, deixando que todas as suas aflições subam à superfície da sua consciência. Lá, sob a luz da minha presença, elas desaparecem. Contudo, alguns temores – principalmente o medo do futuro – vêm à tona repetidas vezes. Isso acontece porque você tem o hábito de projetar o que vai acontecer nos próximos dias, meses, anos, o que o leva a enfrentar problemas inexistentes repetidamente. O que você vê é uma imagem falsa, porque ela não me inclui. Os tempos sombrios que você imagina não se tornarão realidade, já que estarei com você em todos os momentos.

Quando uma preocupação pelo futuro o abater, capture-a e desarme-a, derramando sobre ela a luz da minha presença. Diga a si mesmo: "Jesus estará comigo nessa hora. Com a ajuda dele, poderei enfrentar tudo!". Depois, volte para o presente, pois nele você pode aproveitar a minha paz.

Lucas 12:22-26; Deuteronômio 31:6; 2Coríntios 10:5

10 de novembro

CONCENTRE TODO O SEU SER na minha presença viva. Eu estou com você, envolvendo-o com amor e paz. Enquanto você relaxa ao meu lado, moldo sua mente e purifico seu coração. Estou recriando-o para que você se torne aquele que o criei para ser.

Quando iniciar as atividades do dia, não desvie a atenção de mim. Se alguma coisa o incomodar, converse comigo. Se estiver entediado, ocupe seu tempo com orações e louvor. Quando uma pessoa o irritar, não deixe que seus pensamentos se detenham nos defeitos dela. Com cuidado, volte sua mente para mim. Todos os momentos são preciosos se permanecemos conectados. Qualquer dia pode ser um bom dia, porque a minha presença permeia todos os tempos.

Salmos 89:15-16; 1João 3:19-20;
Judas 24-25; Salmos 41:12

11 de novembro

NÃO PERMITA QUE NENHUMA SITUAÇÃO o intimide. Quanto mais desafiador for o seu dia, maior será a força que colocarei à sua disposição. Você parece achar que lhe concedo sempre o mesmo poder, mas isso não é verdade. Na hora em que você acorda, costuma avaliar as dificuldades à sua frente e compará-las à sua força, mas esse é um exercício inútil.

Eu sei o que o aguarda a cada dia e lhe ofereço força suficiente para lidar com cada acontecimento. Faço isso baseado em duas variáveis: a dificuldade da situação e sua disposição de aceitar minha ajuda. Veja os dias desafiadores como oportunidades para receber uma porção maior do meu poder. Olhe para mim sempre que precisar e observe para ver o que realizarei por você. *Que dure a sua força como durem também os seus dias.*

Efésios 1:18-20; Salmos 105:4;
Deuteronômio 33:25

12 de novembro

ESTE É UM TEMPO DE ABUNDÂNCIA em sua vida. *Seu cálice transborda* com minhas bênçãos. Depois de escalar montanhas escarpadas, você agora se vê cantarolando em meio a pradarias luxuriantes, aquecidas pela luz do sol. Aproveite esse tempo de tranquilidade e renovação. Fico feliz de poder lhe propiciar isso.

Às vezes meus filhos hesitam em receber minhas dádivas com as mãos abertas. Surgem falsos sentimentos de culpa, que lhes dizem que não merecem ser tão abençoados. Isso é uma bobagem, porque ninguém merece nada de mim. Meu reino não tem nada a ver com trocas ou merecimentos, e sim com acreditar e receber.

Quando um filho se nega a aceitar meus presentes, fico profundamente triste. Quando você recebe minhas bênçãos com o coração grato, transbordo de alegria. Meu prazer em lhe dar e seu prazer em receber fluem juntos em alegre harmonia.

Salmos 23:5; João 3:16;
Lucas 11:9-10; Romanos 8:32

13 de novembro

Eu sou o Cristo em você, *a esperança da glória.* Aquele que caminha ao seu lado, segurando-o pela mão, é o mesmo que vive dentro de você. Esse é um mistério profundo e insondável. Você e eu estamos ligados por uma intimidade que envolve todas as fibras do seu ser. Eu estou em você e você está em mim; portanto, nada no céu ou na Terra pode nos separar.

Quando você se senta em silêncio na minha presença, sua percepção da minha vida dentro de você aumenta. Isso gera *a alegria do Senhor, que o fortalecerá. Eu, o Deus da esperança, encho-o de toda alegria e paz, por sua confiança em mim, para que você possa transbordar de esperança pelo poder do Espírito Santo.*

Colossenses 1:27; Isaías 42:6;
Neemias 8:10; Romanos 15:13

14 de novembro

DELEITE-SE NA SENSAÇÃO de ser compreendido e amado incondicionalmente. Ouse se ver como o vejo: radiante na minha virtude, purificado pelo meu sangue. Eu o enxergo como aquele que criei para ser, como aquele que você será quando o paraíso se tornar seu lar. É a minha vida dentro de você que o transforma *de glória em glória.* Alegre-se nesse misterioso milagre! Agradeça-me continuamente pela incrível dádiva de ter meu Espírito dentro de você.

Conte com a ajuda do meu Espírito ao avançar por este dia. Faça uma pausa para se consultar com esse ser santo que reside dentro de você. Ele não o obrigará a seguir suas ordens, mas o guiará, desde que você lhe dê espaço em sua vida. Caminhe por essa maravilhosa estrada em colaboração com ele.

Salmos 34:5; 2Coríntios 5:21; 3:18; Gálatas 5:25

15 de novembro

ENCARE OS PROBLEMAS COM LEVEZA. Quando passa por um problema, você se concentra tanto nele que se esquece de mim. Você se atira de cabeça na dificuldade, como se tivesse de resolvê-la imediatamente. Quando não consegue, acaba se sentindo derrotado.

Há um jeito melhor de enfrentar os obstáculos. Quando um problema começar a confundir seus pensamentos, traga-o a mim. Essa atitude o distancia do problema, o que lhe permite vê-lo do meu ponto de vista. Você se surpreenderá com os resultados. É possível que ria de si mesmo por agir com tamanha seriedade diante de algo tão insignificante.

Você sempre enfrentará problemas na sua vida. Mas sempre estarei ao seu lado, ajudando-o a lidar com qualquer coisa.

Salmos 89:15; João 16:33

16 de novembro

QUANDO VOCÊ OLHA para o dia à sua frente, vê um caminho complicado e conturbado, com trilhas que se abrem em todas as direções. Você se pergunta como é possível encontrar seu caminho em meio a esse labirinto. Então se lembra daquele que está *sempre com você, segurando-o pela mão direita*, pensa na minha promessa de *guiá-lo com meus conselhos* e começa a relaxar. Quando olhar novamente para a estrada, perceberá que uma névoa de tranquilidade se assentou sobre ela, nublando sua visão. Você só será capaz de enxergar alguns metros à frente, de modo que começa a se concentrar mais em mim e aproveitar a minha presença.

A névoa é uma proteção para você, pois o traz de volta para o presente. Por mais que eu habite todo o tempo e espaço, você só pode se comunicar comigo aqui e agora. Dentro de poucos dias a neblina não será mais necessária, porque você terá aprendido a se manter atento a mim e ao caminho que está diante de você.

Salmos 73:23-24; 1Coríntios 13:12

17 de novembro

NÃO HÁ CONDENAÇÃO para aqueles que estão em mim. *A lei do Espírito de vida o libertou da lei do pecado e da morte.* São poucos os cristãos que sabem viver com essa liberdade, que é um direito de nascença. Eu morri para libertá-lo, então viva livremente em mim!

Para caminhar pela estrada da liberdade, você deve manter sua mente atenta a mim. Muitas vozes querem lhe mostrar o caminho a seguir, mas somente a minha voz lhe indica a direção certa. Se optar pelas estradas mundanas, cheias de brilho e glamour, vai acabar caindo num abismo. As pessoas também podem levá-lo à ruína: "Faça isso!", "Não faça aquilo!", "Ore assim!", "Não ore assim!". Se você der ouvido a todas essas vozes, vai ficar cada vez mais confuso.

Contente-se em ser uma simples ovelha, ouvindo minha voz e me seguindo. *Eu o farei repousar em verdes pastagens e o guiarei pelas veredas da justiça.*

Romanos 8:1-2; Isaías 30:21;
João 10:27; Salmos 23:2-3

18 de novembro

VENHA A MIM E REPOUSE NA MINHA PAZ. Meu rosto brilha sobre você, em raios de uma *paz que excede todo o entendimento.* Em vez de tentar resolver as coisas sozinho, relaxe na presença do único que tudo sabe. Quando você se apoia em mim, sente-se tranquilo e completo. É desse modo que o criei para viver: em comunhão íntima comigo.

Quando você está perto de outras pessoas, tenta a qualquer custo atender às expectativas delas, sejam reais ou imaginárias. Você se sente obrigado a agradá-las e, por isso, sua percepção da minha presença diminui. Você oferece apenas migalhas no lugar da água viva do meu Espírito, que flui através de você. Esta não é minha vontade! Permaneça em contato comigo, mesmo quando estiver ocupado. Permita que meu Espírito lhe dê palavras de graça enquanto vive na luz da minha paz.

Filipenses 4:6-7; João 7:38;
Efésios 5:18-20

19 de novembro

NÃO SE PREOCUPE COM NADA. Siga-me para onde quer que o leve, sem se preocupar com o que acontecerá. Pense na sua vida como uma aventura e em mim como seu guia e companheiro. Viva o agora, concentrando-se em manter o passo alinhado ao meu. Quando seu caminho levar a um penhasco, esteja disposto a escalá-lo com a minha ajuda. Quando chegarmos a um local seguro para descansar, renove-se ao meu lado. Admire o ritmo da vida vivida perto de mim.

Você já sabe o destino da sua jornada: o paraíso. Por isso concentre-se no caminho à sua frente, deixando que eu lide com as consequências.

20 de novembro

ESTOU SATISFEITO COM VOCÊ, meu filho. Permita-se ter consciência da minha alegria brilhando sobre você. Você não precisa se comportar bem para receber meu amor. Na verdade, preocupar-se demais com seu comportamento o afastará de mim e poderá dar origem a uma forma sutil de idolatria: a adoração dos seus próprios feitos. Também pode virar uma fonte de frustração quando suas atitudes não corresponderem às suas próprias expectativas.

Mude o foco do seu desempenho para a minha radiante presença. A luz do meu amor brilha sobre você o tempo todo, independentemente dos seus sentimentos ou comportamentos. Seu papel é apenas estar aberto a esse amor incondicional. A gratidão e a confiança são os principais meios de recebê-lo. Agradeça-me por tudo; *confie em mim em todos os momentos*. Essas práticas simples o manterão receptivo a mim.

Efésios 2:8-9; Efésios 3:16-19;
Salmos 62:8

21 de novembro

AGRADEÇA-ME EM TODOS OS MOMENTOS deste dia por minha presença e minha paz. Essas são dádivas de proporções sobrenaturais. Desde que ressuscitei, tenho consolado meus seguidores com estas mensagens: *Que a paz esteja convosco* e *Estou sempre com você*. Ouça-me enquanto eu lhe ofereço paz e companhia. A melhor maneira de receber esses presentes é sendo grato por eles.

É impossível passar tempo demais me agradecendo e me louvando. Eu o criei para me glorificar. A sua gratidão cria uma relação adequada comigo, e isso abre caminho para que minhas riquezas fluam dentro de você. Ao agradecer pela minha presença e pela paz que lhe proporciono, você se torna dono das minhas mais exuberantes dádivas.

Lucas 24:36; Mateus 28:20;
Hebreus 13:15

22 de novembro

UM COMPORTAMENTO GRATO abre as janelas do paraíso. Bênçãos espirituais caem livremente sobre você por meio dessas aberturas na eternidade. Além disso, quando você me olha com o coração cheio de gratidão, consegue vislumbrar a glória através das janelas. Você ainda não pode viver no paraíso, mas pode experimentar um pouco do seu lar eterno. Essas pequenas amostras do alimento celestial renovam sua esperança. A gratidão o predispõe a vivenciar essas experiências, o que cria ainda mais motivos para me agradecer. Assim, seu caminho se transforma numa espiral ascendente: crescendo cada vez mais em gratidão.

A gratidão não é uma espécie de fórmula mágica; é a linguagem do amor, que permite que você se comunique intimamente comigo. Ter um pensamento grato evita que você negue a realidade e leva-o a regozijar-se *em mim, seu salvador*, em meio às provações e atribulações. *Sou seu refúgio e sua fortaleza, seu auxílio sempre presente.*

Habacuque 3:17-18; Salmos 46:1

23 de novembro

AO SE SENTAR EM SILÊNCIO na minha presença, deixe-me preencher seu coração e sua mente com gratidão. Se sua mente precisar de um foco, olhe para o amor que derramei por você na cruz. Lembre-se de que *nada no céu ou na Terra pode separá-lo desse amor.* A consciência dessa verdade cria raízes de gratidão tão profundas que nenhum acontecimento pode abalar.

Ao atravessar o dia de hoje, procure pelos tesouros que escondi estrategicamente pelo seu caminho. Eu sigo à sua frente e planto pequenos prazeres para alegrar seu dia. Busque-os e arranque-os um a um. Quando a noite chegar, você terá reunido um adorável buquê. Ofereça-o a mim com um coração grato. Receba minha paz ao se deitar para dormir, com pensamentos de gratidão entoando uma canção de ninar na sua mente.

24 de novembro

A GRATIDÃO ENFRAQUECE A ADVERSIDADE. Foi por isso que o instruí a *agradecer por tudo*. Há uma troca misteriosa em nossa relação: você me agradece (apesar dos seus sentimentos) e eu lhe dou alegria (apesar das suas circunstâncias). Ser grato é um ato espiritual de obediência cega. Para as pessoas que não me conhecem, agradecer por circunstâncias desagradáveis pode parecer irracional. No entanto, aqueles que o fazem são sempre abençoados, ainda que as dificuldades permaneçam.

A gratidão abre seu coração para a minha presença e sua mente para meus pensamentos. Talvez você esteja no mesmo lugar, com os mesmos problemas, mas é como se uma lâmpada tivesse sido ligada e o ajudasse a ver as coisas do meu ponto de vista. Essa é a *luz da minha presença* que abranda a adversidade.

Efésios 5:20; Salmos 118:1; 89:15

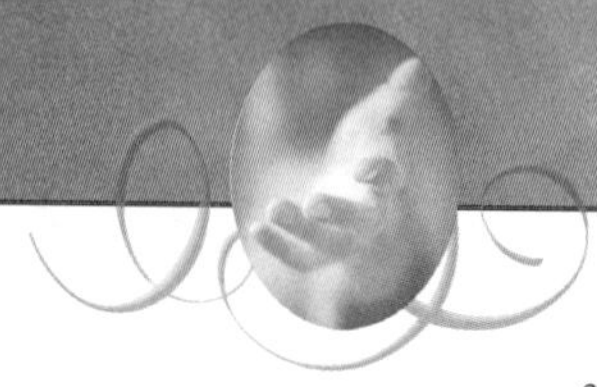

25 de novembro

AGRADEÇA-ME FREQUENTEMENTE enquanto avança por este dia. Essa prática torna possível *orar continuamente,* como ensinou o apóstolo Paulo. Se você está disposto a orar sem cessar, a melhor forma de fazer isso é me agradecendo em qualquer situação. Palavras de gratidão formam uma fundação sólida sobre a qual você pode construir todas as suas preces.

Quando sua mente está ocupada me agradecendo, você não tem tempo para se preocupar ou reclamar. Ao praticar a gratidão com consistência, seus pensamentos negativos vão enfraquecendo cada vez mais. *Aproxime-se de mim* com o coração grato e minha presença o *encherá de alegria e paz.*

1Tessalonicenses 5:16-18;
Tiago 4:8; Romanos 15:13

26 de novembro

ESTE É O DIA EM QUE EU AGI! Aproveitar intensamente cada momento rende dádivas preciosas. Caminhe ao meu lado pela estrada da gratidão e você encontrará todas as maravilhas que preparei para você.

No mundo em que você vive, as bênçãos e as dores se entrelaçam livremente. Manter o foco nos problemas destrói a vida de muitas pessoas. Elas atravessam um dia cheio de belezas e luz, mas só veem a nebulosidade dos seus pensamentos. A falta de gratidão lhes embaça a mente. Como são preciosos os meus filhos que se lembram de me agradecer o tempo todo! Eles são capazes de atravessar os dias mais sombrios com alegria, porque sabem que a luz da minha presença ainda está brilhando sobre suas vidas. Regozije-se com este dia que criei, porque sou seu companheiro leal.

Salmos 118:24; 116:17

27 de novembro

DEIXE QUE A GRATIDÃO governe seu coração. Quando você me agradece pelas bênçãos presentes em sua vida, uma coisa maravilhosa acontece: é como se *escamas caíssem de seus olhos*, permitindo que você enxergue melhor as minhas gloriosas riquezas. Com os olhos abertos assim, você pode se servir do que quiser na minha casa de tesouros. Cada vez que você receber um dos meus presentes de ouro, cante louvores em meu nome. "Aleluia" é a linguagem do paraíso, e pode se tornar a linguagem do seu coração.

O louvor e a gratidão tornam sua vida cheia de milagres. Em vez de tentar estar no controle das coisas, você se atém a mim e ao que estou realizando. Foi assim que o criei para viver, porque o fiz à minha própria imagem. Leve uma vida de abundância por meio do louvor e da gratidão.

Colossenses 3:15; Atos 9:18;
Apocalipse 19:3-6; Salmos 100:4-5

28 de novembro

DESCANSE NA GARANTIA PROFUNDA do meu amor. Deixe que seu corpo, sua mente e seu espírito relaxem na minha presença. Entregue aos meus cuidados tudo o que o estiver incomodando, de modo que você possa voltar sua atenção a mim. Maravilhe-se diante da imensidão do meu amor por você: *maior, mais extenso, mais alto e profundo* do que tudo o que você conhece. Deleite-se ao saber que este amor maravilhoso é seu para sempre.

A melhor resposta que você pode dar a essa dádiva é levar uma vida baseada na gratidão. Sempre que você me agradece, reconhece que sou seu senhor e provedor. Essa é uma postura adequada a um filho de Deus: receber com ação de graças. Traga-me *o sacrifício da sua gratidão* e observe quanto o abençoo.

1Pedro 5:7; Efésios 3:16-19;
Salmos 107:21-22

29 de novembro

PERMITA QUE EU DERRAME minha paz dentro de você. Sentando-se em silêncio na luz da minha presença, você pode sentir a paz crescendo em seu coração.

As pessoas têm dificuldade de reconhecer suas carências, mas oriento você a admitir a necessidade da minha ajuda. Faço isso colocando-o em situações nas quais suas qualidades são irrelevantes e suas fraquezas ficam evidentes. Graças às dificuldades, nos tornamos mais próximos. Você aprendeu a me agradecer pelos momentos dolorosos e pelas jornadas árduas, acreditando que é por meio deles que realizo minha obra. Percebeu que precisar de mim é o segredo para me conhecer intimamente, o que é a maior dádiva entre todas as dádivas.

Isaías 58:11; 40:11

30 de novembro

PROBLEMAS FAZEM PARTE DA VIDA. Não se pode fugir deles, pois estão entremeados no tecido deste mundo. Você tem o hábito de resolvê-los automaticamente, agindo como se fosse capaz de consertar tudo. Essa é uma reação comum, que o deixa frustrado e o distancia de mim.

Não deixe que resolver problemas se torne sua maior prioridade. Você é limitado demais para corrigir tudo o que há de errado no mundo ao seu redor. Não se sobrecarregue com responsabilidades que não lhe pertencem. Em vez disso, transforme nossa relação na sua preocupação principal. Converse comigo sobre qualquer coisa que passar pela sua cabeça, vendo todas as situações sob a minha perspectiva. Em vez de tentar consertar tudo o que lhe parece fora do lugar, peça-me que lhe mostre o que é realmente importante. Lembre-se de que você está a caminho do paraíso e permita que seus problemas desapareçam na luz da eternidade.

Salmos 32:8; Lucas 10:41-42;
Filipenses 3:20-21

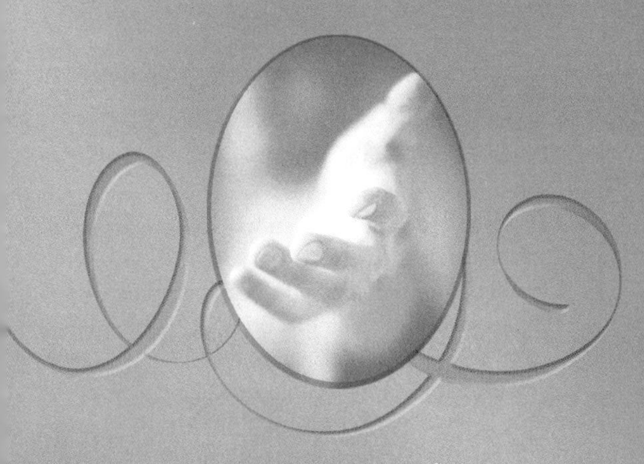

Dezembro

*"Porque um menino nos nasceu,
um filho nos foi dado, e o governo
está sobre os seus ombros.
E ele será chamado Maravilhoso
Conselheiro, Deus Poderoso,
Pai Eterno, Príncipe da Paz."*

Isaías 9:6

1º de dezembro

EU O AMO COM UM AMOR INFINITO, que flui das profundezas da eternidade. Antes que você nascesse, eu já o conhecia. Pense no incrível mistério de um amor que o envolve desde antes do seu nascimento e permanece assim além da morte.

O homem moderno perdeu a perspectiva da eternidade. Para se distrair das ameaçadoras garras da morte, ele gasta todo o seu tempo fazendo coisas sem parar. A prática de ficar imóvel na minha presença é quase uma arte perdida, mas é justamente a imobilidade que lhe permite experimentar meu amor eterno. Você precisa saber que estou ao seu lado para conseguir suportar as tempestades da vida. A melhor proteção contra as dificuldades e os perigos é encontrar momentos de tranquilidade para desenvolver uma amizade comigo.

2 de dezembro

EU SOU O PRÍNCIPE DA PAZ. Como disse para meus discípulos: *Paz seja com vocês.* Como sou seu companheiro constante, minha paz está sempre com você. Quando você mantém o foco em mim, vivencia tanto a minha presença quanto a minha paz. Adore-me como Rei dos reis, Mestre dos mestres e Príncipe da paz.

Você precisa da paz para realizar os propósitos que estabeleci para sua vida. Algumas vezes pode se sentir tentado a pegar atalhos para atingir seus objetivos rapidamente, mas, se isso exigir que você me dê as costas, escolha o caminho mais longo. Ande ao meu lado pela estrada da paz e aproveite sua jornada na minha presença.

Isaías 9:6; João 20:19-21; Salmos 25:4

3 de dezembro

NÃO SE SURPREENDA COM ATAQUES ferozes que você sofre dentro da sua mente. Quando tiver dificuldade para me encontrar, não deixe que o desânimo o domine. Você está envolvido numa grande batalha espiritual, com o mal tentando afastá-lo de mim. Quando sentir que isso está acontecendo, chame meu nome: "Jesus, ajude-me!". Nesse momento, a guerra se torna minha; seu papel é simplesmente confiar em mim enquanto luto por você.

Meu nome tem o poder ilimitado de abençoar e proteger. No fim dos tempos, *todos se ajoelharão* (*no céu, na Terra e sob a terra*), *quando meu nome for proclamado.* As pessoas que proferem a palavra "Jesus" em vão serão assoladas pelo terror. Mas todos aqueles que se aproximarem de mim com confiança, sussurrando meu nome com fé, serão preenchidos com *uma alegria indizível e gloriosa.* Essa é sua maior esperança, enquanto você aguarda meu retorno.

Efésios 6:12; 1Samuel 17:47;
Filipenses 2:9-10; 1Pedro 1:8-9

4 de dezembro

MEUS PENSAMENTOS NÃO SÃO SEUS PENSAMENTOS; nem os seus caminhos são os meus caminhos. *Assim como os céus são mais altos do que a Terra, meus caminhos e pensamentos são mais elevados do que os seus.* Lembre-se de quem sou quando estiver ao meu lado. Maravilhe-se diante do milagre de ter comunhão com o Rei do Universo – a qualquer momento e em qualquer lugar. Nunca ignore o valor deste incrível privilégio!

Ainda que eu seja muito maior do que você, quero que pense meus pensamentos. Meu Espírito é o condutor desse processo. Às vezes ele lhe coloca versículos bíblicos na cabeça. Às vezes, permite que você me ouça "falando". Essa comunicação o fortalece e o prepara para enfrentar qualquer coisa. Reserve algum tempo para ouvir minha voz. Graças a esse sacrifício do seu precioso tempo, eu o abençoo muito mais do que você ousa pedir.

Isaías 55:8-9; Colossenses 4:2;
Salmos 116:17

5 de dezembro

DEIXE QUE A MINHA PRESENÇA seja mais importante do que tudo o que você vivencia. Como um véu luminoso, pairo sobre você e sobre as coisas ao seu redor. Eu o estou educando para permanecer consciente de mim em qualquer situação.

Quando o patriarca Jacó fugiu do seu irado irmão, parou para dormir e recostou a cabeça num travesseiro de pedra, numa terra que parecia desolada. Mas, depois de sonhar com o céu, os anjos e as promessas da minha presença, ele acordou e exclamou: "Sem dúvida o SENHOR está neste lugar, mas eu não sabia!". Sua descoberta não serve apenas para ele, mas também para todos os que me procuram. Sempre que se sentir distante de mim, diga: "Sem dúvida o SENHOR está neste lugar!". Depois, peça-me que lhe dê a consciência da minha presença. Essa é uma oração que tenho prazer em responder.

6 de dezembro

FIQUE SEMPRE PERTO DE MIM e, assim, não se desviará do caminho que preparei para você. Essa é a maneira mais eficiente de permanecer no rumo certo; é também o modo mais prazeroso. As pessoas tendem a multiplicar suas responsabilidades ao praticar a religião. Isso permite que dediquem a mim tempo, trabalho e dinheiro, mas sem me conceder aquilo que mais desejo – o seu coração. Depois que as regras religiosas se tornam hábitos, pode-se segui-las com um mínimo de esforço e quase sem pensar. Elas criam uma falsa sensação de segurança, embalando a alma numa espécie de letargia.

O que procuro nos meus filhos é uma alma desperta, que se entusiasme com a minha presença! Criei a humanidade para me glorificar e desfrutar de mim para sempre. Eu lhe dou a alegria; sua parte é viver perto de mim.

Deuteronômio 6:5; Colossenses 3:23; Salmos 16:11

7 de dezembro

ESTOU COM VOCÊ EM TUDO O QUE FAZ, mesmo nas tarefas mais banais. Estou sempre zelando por você, preocupado com cada detalhe da sua vida. Nada escapa à minha percepção – nem mesmo *a quantidade de fios de cabelo em sua cabeça*. Mas sua consciência da minha presença é instável. Como resultado, sua experiência de vida parece fragmentada. Quando você me inclui em seus pensamentos, sente-se seguro e completo. Ao me deixar de fora e ocupar sua cabeça com problemas, você se sente vazio e incompleto.

Aprenda a olhar fixamente para mim em todos os momentos e circunstâncias da sua vida. Por mais que o mundo seja instável, você pode vivenciar a continuidade por causa da consciência ininterrupta da minha presença. *Fixe seu olhar no que não se pode ver*, mesmo que o mundo visível desfile o tempo todo diante dos seus olhos.

Mateus 10:29-31; Hebreus 11:27;
2Coríntios 4:18

8 de dezembro

SUAS NECESSIDADES E MINHAS GLORIOSAS RIQUEZAS SE COMBINAM PERFEITAMENTE. Eu nunca desejei que você fosse autossuficiente. Ao contrário, criei-o para que precisasse de mim não apenas para garantir o pão de cada dia, mas também para satisfazer suas carências mais profundas. Eu moldei com cuidado sua ansiedade e seu vazio interior para que esses sentimentos o levassem a mim. Assim, não tente escondê-los ou negá-los. Tenha cuidado para não tentar amenizá-los adorando deuses menores: pessoas, bens e poder.

Aproxime-se de mim com todas as suas necessidades, com as defesas baixas e o desejo de ser abençoado. Quando você passa algum tempo na minha presença, suas maiores carências são supridas. Alegre-se com suas necessidades, pois elas lhe permitem encontrar a plenitude ao meu lado.

Filipenses 4:19; Colossenses 2:2-3

9 de dezembro

ESTEJA DISPOSTO A CORRER RISCOS ao meu lado. Se é esse o sentido em que o estou conduzindo, é porque esse é o lugar mais seguro para estar. Seu desejo de construir uma vida estável é uma forma de descrença. A vontade de viver perto de mim se opõe às suas tentativas de controlar tudo. Você está se aproximando de uma encruzilhada. Para me seguir com todo o coração, deve abrir mão de buscar a segurança.

Deixe-me guiá-lo passo a passo ao longo deste dia. Se seu foco estiver voltado para mim, você poderá caminhar por trilhas perigosas sem temer. Por fim, aprenderá a relaxar e a aproveitar a aventura da nossa jornada juntos. Desde que você permaneça perto de mim, minha presença soberana o protegerá aonde quer que você vá.

Salmos 23:4; 9:10; João 12:26

10 de dezembro

FAÇA DE MIM O FOCO de sua busca por segurança. Em seus pensamentos, você ainda está tentando controlar o mundo para que ele seja previsível e seguro. Esse não só é um objetivo impossível como também contraproducente no que diz respeito ao amadurecimento espiritual. Quando seu mundo particular parece instável e você se agarra à minha mão em busca de apoio, passa a viver em dependência consciente de mim.

Em vez de ansiar por uma vida sem problemas, alegre-se por saber que eles podem aumentar sua consciência da minha presença. Nas trevas da adversidade, você é capaz de enxergar meu rosto com mais clareza. Aceite o valor das provações, *considerando-as motivo de grande alegria*. Lembre-se de que uma eternidade sem problemas o aguarda no céu.

Isaías 41:10; Salmos 139:10; Tiago 1:2

11 de dezembro

ESTOU TRABALHANDO A SEU FAVOR. Traga a mim todas as suas preocupações, inclusive seus sonhos. Converse comigo sobre tudo, deixando que a luz da minha presença ilumine suas esperanças e seus planos. Permita que minha luz derrame vida em seus desejos, transformando-os aos poucos em realidade. Esse é um modo muito prático de colaborar comigo. Eu, o Criador do Universo, me permiti criar a vida ao seu lado. Não tente apressar o processo. Se você quer trabalhar comigo, tem de aceitar o meu tempo. A pressão não faz parte da minha natureza. Abraão e Sara tiveram de esperar muitos anos para concretizar a minha promessa de lhes dar um filho. E como essa longa espera intensificou a felicidade deles quando a criança nasceu! *A fé é a certeza daquilo que esperamos e a prova das coisas que não vemos.*

Salmos 36:9; Gênesis 21:1-7; Hebreus 11:1

12 de dezembro

ESTOU CUIDANDO DE VOCÊ. Sinta o calor e a segurança de ser envolvido pela minha presença. Cada detalhe da sua vida está sob o meu controle. Além disso, *eu ajo em todas as coisas para o bem daqueles que me amam, dos que foram chamados de acordo com o meu propósito.*

Neste mundo decadente, as pessoas tendem a achar que o acaso governa o Universo. Os eventos parecem ocorrer aleatoriamente, fazendo pouco ou nenhum sentido. Assim, meus filhos ignoram um fato básico: a compreensão humana é limitada. O que você sabe sobre o mundo em que habita é apenas a ponta do *iceberg*. Sob a superfície visível existem mais mistérios do que você é capaz de imaginar. Se pudesse ver como estou próximo e como trabalho o tempo todo a seu favor, jamais duvidaria de que estou cuidando de você. É por isso que você deve *viver pela fé, não pelo que vê,* confiando na minha grandiosa presença.

Romanos 8:28; Jó 42:1-3;
1Pedro 5:7; 2Coríntios 5:7

13 de dezembro

Reserve tempo para a santidade. A palavra *santo* não significa *perfeito*; significa *separado para as coisas sagradas*. É isso que esses momentos tranquilos na minha presença realizam dentro de você. Enquanto volta sua mente e seu coração a mim, você é transformado e recriado, de modo a se tornar aquele que eu criei para ser. Esse processo exige um tempo de comunhão comigo.

Os benefícios dessa prática são ilimitados. A cura emocional e física aumenta quando você se banha na luz da minha presença. A proximidade entre nós reforça sua fé e o enche de paz. Você se abre para receber as bênçãos que preparei. Transforma-se num *santuário do Espírito Santo*, que é capaz de realizar *muito mais do que você pede ou imagina*. Essas são apenas algumas das vantagens de viver tranquilo ao meu lado.

2Tessalonicenses 1:10; Salmos 27:4; 1Coríntios 6:19; Efésios 3:20

14 de dezembro

DESCANSE EM MIM, MEU FILHO, esquecendo todas as suas preocupações mundanas. Concentre-se em mim – Emanuel – e deixe que a minha presença viva envolva-o em paz. Volte-se para minha segurança eterna, porque eu sou *o mesmo ontem, hoje e para sempre.* Se você vive uma vida superficial, atendo-se aos fenômenos instáveis, vai acabar repetindo as palavras de Salomão: *"Que grande inutilidade! Nada faz sentido!"*.

Viver em colaboração comigo dá sentido aos seus dias. Inicie cada manhã ficando alguns momentos a sós comigo, de modo que possa experimentar a realidade da minha presença. Sempre que passa algum tempo ao meu lado, o caminho à sua frente se abre, passo a passo. Desperte aos poucos da nossa comunhão sagrada e comece a sua jornada ao longo do dia. Segure minha mão, dependendo totalmente de mim, e abrandarei o caminho diante de você.

Hebreus 13:8; Eclesiastes 1:2;
Provérbios 3:6

15 de dezembro

SUA ANSIEDADE PELO PARAÍSO É BOA, porque é uma extensão da sua ansiedade por mim. A esperança do paraíso foi criada para fortalecê-lo e encorajá-lo, preenchendo-o com uma maravilhosa alegria. Muitos cristãos não entendem a palavra *esperança*, acreditando que ela que o pensamento positivo. Nada poderia estar mais longe da verdade! Logo que me tornei o Salvador, o paraíso se transformou no seu destino final. A ideia da *esperança do paraíso* dá ênfase aos benefícios que você pode aproveitar durante seus dias na Terra. Ela o mantém espiritualmente vivo nos períodos de trevas, ilumina seu caminho e aguça sua percepção da minha presença. Eu desejo que *você transborde de esperança, pelo poder do Espírito Santo.*

Romanos 8:23-25; Hebreus 6:18-20; Romanos 15:13

16 de dezembro

ESTOU FALANDO DAS PROFUNDEZAS DO SEU SER. Fique em silêncio para que possa ouvir minha voz. Eu falo a linguagem do amor; minhas palavras o enchem de vida e paz, alegria e esperança. Eu desejo conversar com todos os meus filhos, mas muitos deles estão ocupados demais para me ouvir. Dedicam-se demais ao trabalho e se perguntam por que se sentem tão distantes de mim.

Para viver ao meu lado, é preciso me transformar no seu *primeiro amor* – sua maior prioridade. Quando você busca a minha presença acima de todas as coisas, vivencia a totalidade da paz e da alegria. Eu também fico feliz quando você me torna a coisa mais importante da sua vida. Enquanto você caminha junto comigo, *minha glória ilumina o mundo ao seu redor.*

Isaías 50:4; Apocalipse 2:4; Isaías 60:2

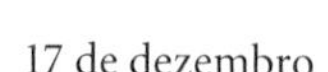

17 de dezembro

TRAGA A MIM O SEU VAZIO INTERIOR, sabendo que ao meu lado você está completo. Ao descansar tranquilamente na minha presença, minha luz dentro de você ganha intensidade. Sentir-se vazio é o prelúdio para ser preenchido com a minha plenitude. Assim, nos dias em que se arrastar com dificuldade para fora da cama, sentindo-se preguiçoso e inadequado, anime-se. Diga a si mesmo que é uma oportunidade perfeita para depender de mim com uma confiança inocente. Se mantiver esse pensamento ao longo do dia, descobrirá, quando for dormir à noite, que a alegria e a paz se tornaram suas companheiras. Você talvez não perceba em que ponto elas se juntaram a você na sua jornada, mas sentirá os efeitos benéficos da presença delas. O melhor final para um dia assim é um canto de louvor que expresse sua gratidão. Eu sou aquele do qual todas as bênçãos fluem!

2Coríntios 4:6; Mateus 5:3, 6;
Colossenses 2:9-10; Salmos 150:6

18 de dezembro

QUANDO VOCÊ ESTIVER ATORMENTADO por um problema persistente, veja-o como uma bela oportunidade. Um obstáculo que se repete é como um professor que está sempre ao seu lado. As possibilidades de aprendizagem são limitadas apenas por sua disposição para aprender. Com fé, agradeça-me pelas dificuldades. Peça-me que lhe abra os olhos e o coração para tudo o que estou realizando graças às adversidades pelas quais está passando. Quando você se torna grato por um problema, ele perde o poder de atingi-lo. Sua atitude de gratidão elevará você até lugares celestiais ao meu lado. Olhando dessa perspectiva, o obstáculo parecerá *um incômodo leve e momentâneo que está gerando para você uma glória transcendental que nunca acaba!*

Isaías 30:20-21; 2Coríntios 4:17

19 de dezembro

NÃO SE DEIXE ABATER PELA CONFUSÃO e pela bagunça que domina sua vida. Se você se concentrar demais em todas as pequenas tarefas que precisam ser realizadas, descobrirá que não terminarão nunca. Elas podem consumir o mesmo tempo que você dedica a mim.

Em vez de tentar executar todas as tarefas de uma só vez, escolha aquelas que precisam ser feitas hoje. Varra o restante para o fundo da sua mente, de modo que eu fique em primeiro plano na sua consciência. Lembre-se de que seu principal objetivo é viver perto de mim. Posso me comunicar melhor com você quando sua mente está desimpedida e em comunhão comigo. Procure meu rosto continuamente ao longo deste dia. Deixe que a minha presença traga ordem aos seus pensamentos e derrame a paz em todo o seu ser.

20 de dezembro

QUANDO ME JUNTEI À HUMANIDADE, nascido em condições extremamente humildes, minha glória estava escondida das pessoas. Às vezes ela escapava de mim, principalmente depois que comecei a operar milagres. Já no fim da vida, fui insultado e tentado a exibir mais do meu incrível poder – mais do que os planos do meu Pai permitiam. Eu poderia ter convocado legiões de anjos para me resgatar a qualquer momento. Imagine como isso exigiu autocontrole de um mártir que podia se libertar se quisesse! Precisei fazer tudo isso para criar a relação que você tem comigo hoje. Deixe que a sua vida se transforme numa canção de louvor, proclamando minha gloriosa presença no mundo.

João 2:11; Lucas 23:35-36;
Salmos 92:1-5

21 de dezembro

Meus planos para a sua vida se revelam diante de você. Às vezes sua estrada parece bloqueada ou se abre tão lentamente que você precisa recuar. Mas na hora certa o caminho fica limpo – não graças aos seus próprios esforços, mas à minha bondade. Aquilo pelo que você ansiou e trabalhou, dou-lhe de presente como dádiva pura. Você se maravilha com a facilidade com a qual opero no mundo.

Não tema suas fraquezas, porque é nelas que meu *poder e minha glória* atuam da forma mais brilhante. Ao seguir o caminho que preparei para você – contando com a minha força para sustentá-lo –, espere testemunhar milagres. Os milagres nem sempre estão visíveis aos seus olhos, mas aqueles que *vivem pela fé* podem enxergá-los com clareza. *Viver pela fé, e não pelo que se vê*, permite que você vislumbre a minha glória.

Salmos 63:2; 2Coríntios 5:7; João 11:40

22 de dezembro

VENHA A MIM e repouse na minha presença. Enquanto reflete sobre o grandioso mistério da encarnação, relaxe nos meus braços eternos. Sou o único que já foi *coroado* pelo Espírito Santo. Isso é algo que está além da sua compreensão. Em vez de tentar entender racionalmente minha vida humana, aprenda com o exemplo de homens mais sábios. Eles seguiram as orientações de uma estrela e se permitiram ajoelhar-se em humilde adoração quando me encontraram.

O louvor e a adoração são as melhores respostas às maravilhas do meu ser. Cante louvores ao meu nome. Olhe para mim em adoração silenciosa. Procure pela estrela em busca de orientações para sua própria vida e esteja disposto a me seguir para onde quer que eu o leve. *Sou o Sol nascente que nasce sobre você para guiar seus pés no caminho da paz.*

Lucas 1:35; João 1:14;
Mateus 2:9-11; Lucas 1:78-79

23 de dezembro

Sou o Rei dos reis, o Senhor dos senhores, habitando uma luz inacessível! Também sou o seu pastor, companheiro e amigo – aquele que nunca solta sua mão. Adore-me em minha magnanimidade; aproxime-se de mim e descanse na minha presença. Você precisa de mim tanto na condição de Deus quanto na condição de homem. Somente minha encarnação naquele primeiro e longínquo Natal poderia suprir suas necessidades. Como passei por situações extremas a fim de libertá-lo dos seus pecados, pode ter certeza de que *lhe darei de graça tudo o que você precisa.*

Alimente sua confiança em mim como Salvador, Senhor e amigo. Eu não economizo nas provisões para você. Alegre-se com tudo o que opero em sua vida e minha luz brilhará através de você para o resto do mundo.

1Timóteo 6:15-16; Salmos 95:6-7;
Romanos 8:32; 2Pedro 1:19

24 de dezembro

EU FALO COM VOCÊ das profundezas da eternidade. Você me ouve do seu íntimo, onde construí minha morada. *Sou o Cristo em você, a esperança da glória.* Eu, seu Senhor e Salvador, estou vivo dentro de você. Aprenda a identificar minha presença, procurando por mim em silêncio.

Ao celebrar a maravilha do meu nascimento em Belém, celebre também seu renascimento na vida eterna. Essa dádiva da eternidade era o único propósito da minha entrada neste mundo marcado pelo pecado. Receba meu presente com louvor e humildade. Reserve algum tempo para explorar a vastidão do meu amor. Permita que a gratidão flua livremente do seu coração em resposta ao meu glorioso presente. *Deixe que a minha paz seja o juiz em seu coração, e seja agradecido.*

Salmos 90:2; Colossenses 1:27; 3:15

25 de dezembro

ENQUANTO VOCÊ AGUARDA atentamente na minha presença, *a luz do conhecimento da minha glória* brilha sobre você. Esse conhecimento transcende todo entendimento. Ele transforma cada pedaço do seu ser, renovando sua mente, purificando seu coração, revigorando seu corpo. Abra-se completamente para mim e maravilhe-se diante do meu glorioso ser.

Tente imaginar as coisas das quais abdiquei quando desci à Terra como um bebê. Deixei de lado minha glória, para que pudesse me identificar com a humanidade. Aceitei as limitações da infância vivendo em péssimas condições. O nascimento naquele estábulo sujo foi uma noite sombria, por mais que os anjos tenham iluminado o céu proclamando "glória!" aos pastores paralisados de surpresa.

Quando você se senta em silêncio ao meu lado, tudo o que vivi passa a fazer parte da sua própria experiência. Quando se identifica comigo, paisagens celestiais se abrem diante de você, dando-lhe vislumbres da minha glória. *Tornei-me pobre para que você pudesse enriquecer.* Cante aleluias ao meu santo nome!

2Coríntios 4:6; Filipenses 2:6-7;
Lucas 2:13-14; 2Coríntios 8:9

26 de dezembro

O AMOR INCONDICIONAL é um conceito tão complexo que até mesmo meus seguidores mais fervorosos são incapazes de compreendê-lo totalmente. Nada no Céu ou na Terra me pode fazer deixar de amá-lo. Você pode se sentir mais amado quando seus atos condizem com suas próprias expectativas, mas meu amor por você é perfeito; assim, não está sujeito a variações. O que varia é sua consciência da minha presença.

Quando você não está satisfeito com seu comportamento, tende a se sentir indigno do meu apreço. Inconscientemente, pode se punir afastando-se de mim e atribuindo a distância entre nós ao meu desapontamento. Em vez de voltar para mim e receber meu amor, você tenta merecer aprovação, esforçando-se ainda mais. Enquanto isso, anseio por segurá-lo em *meus braços eternos* para envolvê-lo no meu amor. Quando estiver se sentindo indigno ou desprezado, aproxime-se de mim. Depois ore para se tornar receptivo ao *meu amor perfeito.*

1João 4:15-18; Deuteronômio 33:27; Salmos 13:5

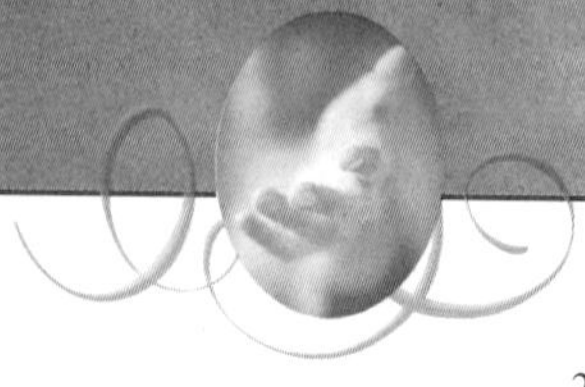

27 de dezembro

EU O ESTOU PREPARANDO para o que há na estrada à sua frente, logo depois da próxima curva. Reserve alguns instantes para ficar ao meu lado, de modo que eu possa fortalecê-lo. Quanto mais ocupado você estiver, mais precisará desse momento de comunhão comigo. Muitas pessoas pensam que não têm tempo para dedicar a mim e, como resultado, vivem e trabalham de acordo com suas próprias forças, até que fiquem exauridas. Então gritam por minha ajuda ou se afastam, magoadas.

O melhor é andar perto de mim. Se viver assim, você *fará* menos, mas *realizará* mais. Sua vida sem pressa se destacará neste mundo acelerado. Algumas pessoas podem considerá-lo preguiçoso, mas outras serão abençoadas pela sua tranquilidade. Caminhe na luz ao meu lado e você me refletirá para todos os que o observam.

Isaías 64:4; João 15:5; Salmos 36:9

28 de dezembro

SOU SEU REFÚGIO e sua fortaleza, o auxílio sempre presente na adversidade. Assim, você não precisa temer nada. A imprensa insiste em dar destaque a temas que induzem ao medo: terrorismo, assassinos em série, catástrofes ambientais. Se você se esquecer de que sou seu refúgio em todos os momentos, ficará cada vez mais amedrontado. Todos os dias manifesto minha graça em inúmeros lugares e situações, mas a imprensa não percebe. Eu derramo não apenas bênçãos, como também milagres.

À medida que você se aproxima de mim, abro seus olhos para que perceba minha presença. Coisas que a maioria das pessoas não nota – como uma mudança na tonalidade da luz do sol – o encherão de alegria. Você tem olhos para ver e ouvidos para ouvir, por isso anuncie minha presença contínua no mundo.

Salmos 46:1-3; 89:15

29 de dezembro

CONFIE EM MIM com todas as fibras do seu ser! O que sou capaz de realizar em você e através de você é proporcional à sua confiança em mim. Até que ponto você confia em mim durante uma crise ou para tomar uma decisão importante? Algumas pessoas que pedem minha ajuda nos momentos difíceis se esquecem de mim quando a vida está tranquila. As dificuldades podem fazê-lo enxergar sua necessidade de ter a mim ao seu lado, enquanto *ventos favoráveis* podem levá-lo à autossuficiência.

Eu me importo tanto com sua fé cotidiana quanto com suas súplicas em períodos complicados. Você pode achar que ninguém percebe, mas o Único que está sempre ao seu lado vê tudo – e se deleita com isso. A confiança consistente em mim é fundamental para a minha presença.

Salmos 40:4; 56:3-4; 62:8; Isaías 26:3-4

30 de dezembro

EU O ESTOU GUIANDO por um caminho que é feito exclusivamente para você. Quanto mais perto de mim estiver, mais próximo estará da sua verdadeira essência – aquela que criei para você. Como você é único, sua trajetória ao meu lado é muito diferente da de outras pessoas. Na minha misteriosa sabedoria, contudo, permito que você siga por essa trilha solitária ao mesmo tempo que permanece em contato com os outros. Na verdade, ao ampliar sua dedicação a mim, aumentará sua capacidade de amar o próximo.

Maravilhe-se diante da beleza de uma vida entrelaçada à minha presença. Alegre-se enquanto caminhamos juntos em comunhão. Aproveite a aventura de descobrir a si mesmo ao se perder em mim.

2Coríntios 5:17; Efésios 2:10;
1João 4:7-8; João 15:4

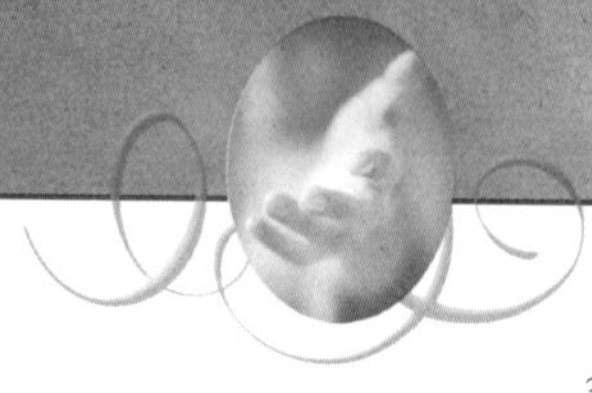

31 de dezembro

ENQUANTO ESTE ANO se aproxima do fim, receba toda a minha paz. Essa ainda é sua maior necessidade, e anseio por me derramar em seu vazio. Eu o criei para ser incompleto. Eu o fiz como um *vaso de barro* separado para uso sagrado. Quero que você seja preenchido com meu ser.

Agradeça-me pela minha presença pacífica, independentemente dos seus sentimentos. Sussurre meu nome com ternura. Minha *paz*, que vive continuamente em seu espírito, aos poucos se infiltra em todo o seu ser.

Isaías 9:6; 2Coríntios 4:7;
João 14:26-27

Sobre a autora

OS TEXTOS DE SARAH YOUNG NASCEM PRIMEIRO no coração dela, quando faz a sua própria leitura da Bíblia e tem seu tempo de oração com Deus. Foi assim que ela escreveu todos os seus livros, inclusive O chamado de Jesus, que já vendeu mais de 16 milhões de cópias no mundo. Sarah e seu marido, o pastor Stephen, trabalharam como missionários no Japão e na Austrália, compartilhando o amor de Deus durante muitos anos. O casal é pai de dois filhos e vive hoje nos Estados Unidos.